胡楚生 著

# 經學研究三集

臺灣學生書局印行

# 自敍

拙稿《經學研究論集》，出版於民國九十一年，《經學研究續集》，出版於民國九十六年，近期以來，賡續有作，得稿九篇，今將彙為一編，鋟版印行，茲將各篇內容，略述如下，以供參稽之用。

第一篇，孫毓《毛詩異同評》與陳統《難孫氏毛詩評》析論。

漢代《毛詩》之學，有毛公之《傳》，鄭玄之《箋》，王肅之《注》，及至晉代，孫毓撰《毛詩異同評》，評論毛、鄭、王三家之異同得失，而陳統針對孫毓之書，又有《難孫氏毛詩評》之作，二家之書，雖已亡佚，清代馬國翰仍有輯本，可供參考。

此文分析孫毓與陳統兩家著作之內容，並舉出例證，作出評論，以見二家之書，在《詩經》學研究歷史上，所具有之地位。

第二篇，〈文侯之命〉論考。

此文考證《尚書·文侯之命》篇中的兩個重要問題，其一，〈文侯之命〉篇中的「文侯」，究竟是晉文侯？抑或是晉文公？連帶地，篇中的周天子，究竟是周平王？抑或是周襄王？其二，〈文侯之命〉篇中的周天子，如果是周平王，則平王在歷史上的地位，究竟應該作出怎樣的評價。

此文徵引歷代學者的意見，而作出分析考證，並對〈文侯之命〉中的歷史人物，作出客觀地評論。

第三篇，《周易》古經之形式結構與義理系統。

《周易》古經中有形式結構，也可能有義理系統，形式結構是已經存在的事實，義理系統的有無，似乎還在爭議之中，一方面，主張《周易》古經，只是卜筮之書，其中並不具有意義的聯繫，可以朱伯崑先生的意見為代表。其次，主張《周易》古經之中，有其完整的意義聯繫，可以屈萬里先生的意見為代表。

此文之作，從分析《周易》古經六十四卦中每卦六爻所使用的爻詞入手，枚舉例證，說明在前述兩種意見之中，仍然要以屈萬里先生的看法，較為接近事實的真相。

第四篇，論《春秋》弒君兼書「及其大夫」之義例。

司馬遷《史記・太史公自序》云：「《春秋》之中，弒君三十六。」已經指出，春秋二百四十二年之中，有三十六位國君被臣下所弒。

在《春秋》記錄的弒君行為中，一般的記載，都只記錄弒君者以及被弒國君的姓名，但是，在《春秋》之中，卻有三次記錄國君被弒之時，又用「及」字，記錄其大臣同時被殺者的姓名。

對於《春秋》之中，因弒君兼書「及其大夫」的情形，歷代的學者，卻有不同的看法。此文之作，針對這些不同的看法，作出比較分析，以尋求《春秋》本身之義例。

第五篇，《春秋公羊傳》中「惡戰伐而尚和平」之精神。

《春秋公羊傳》是一部充滿理想的著作，在它的思想中，蘊含了不少憎惡戰爭侵略的感情，也蘊含了許多崇尚和平的意念。

此文之作，分別徵引《公羊傳》闡釋《春秋》的一些事例，用以彰顯其「惡戰伐而尚和平」之精神。

第六篇，范甯對《春秋》三《傳》之評論。

《漢書·藝文志》著錄《春秋》古經之外，又著錄《左氏傳》、《公羊傳》、《穀梁傳》、《鄒氏傳》、《夾氏傳》五種。《鄒氏傳》、《夾氏傳》，已經亡佚，故《春秋》一經，僅存《左傳》、《公羊傳》、《穀梁傳》，流傳至今。

晉代范甯，撰有《春秋穀梁傳集解》一書，解釋《穀梁傳》之要義，又於該書〈自序〉之中，評論三傳得失，頗為深刻中理。

此文之作，即就范甯所論三《傳》得失之處，引述三《傳》之記載，加以疏通佐證，以說明范甯評論三《傳》意見之為是為非，孰得孰失。

第七篇，陳岳《春秋折衷論》析評。《春秋》三《傳》，釋《經》觀點，已多不同，唐代陳岳，曾撰《春秋折衷論》三十卷，於三《傳》釋《經》之異同處，加以折衷，或求其會通。陳岳之書，雖已久佚，清代馬國翰，曾輯得三十條，較之原書，相距雖遠，仍可以窺見其書內容之大要。此文之作，從現存陳氏書中，剌取例證，加以評論，以彰顯陳書之要旨，及其在《春秋》學史上之地位。

第八篇，孟子知言養氣章闡釋。《孟子・公孫丑上》中知言養氣一章，在孟子的思想學說之中，極為重要，歷來解釋此章意趣的學者，為數甚多，古代的學者，以趙岐、朱熹、焦循為代表。當代的學者，可以戴君仁、徐復觀、蔡仁厚、余培林、黃俊傑、李明輝為代表。作者溫習《孟子》此章，仍有一些自己的看法，撰成此文，以供參稽之用。

第九篇，顧亭林「通經致用」之為學精神。顧亭林生於晚明清初之際，遭逢異族入侵，國家滅亡之變，因此，在他的學術著述之中，往往強調「通經致用」的精神，將經書中的思想義理，引歸到身心行為，國計民生的應用方面，以求有用於國家，有益於人民。

此文試就顧亭林的《日知錄》之中，枚舉研究的例證，以說明顧氏為學的精神所在。

以上拙稿九篇，彙為一書，即命之為《經學研究三編》，承蒙學生書局惠允印行，謹此併申謝忱。

中華民國一〇七年九月二十八日　胡楚生　謹識

# 經學研究三集

## 目　次

# 壹、孫毓《毛詩異同評》與陳統《難孫氏毛詩評》析論

## 一、引言

詩有四家，齊魯韓毛，傳至漢代，今文學齊魯韓三家逐漸亡佚，古文學毛詩獨傳於世，前漢毛亨（大毛公），撰《毛詩故訓傳》三十卷，傳之毛萇（小毛公），精擅訓詁，後漢鄭玄（一二七—二〇〇），遍注群經，撰《毛詩傳箋》二十三卷，其「注《詩》，宗毛為主，毛義若隱略，則更表明，如有不同，即下己意，使可識別」[1]，是毛、鄭二家，已自有異同之見。

1 鄭玄：〈六藝論〉，引見孔穎達：《毛詩正義》卷一，（臺北，藝文印書館，一九九三年），頁十二。

三國時期，王肅（一九五－二五六）撰《毛詩注》二十卷，說《詩》之義，又多申毛駁鄭，是則三家之學，亦有不同。[2]

晉代初期，孫毓撰《毛詩異同評》十卷，評論毛、鄭、王肅之異同是非，陸德明《經典釋文・序錄》云：「晉豫州刺史孫毓，為《詩評》，評毛、鄭、王肅三家同異，朋于王。」[3]自注云：「毓字休明，北海平昌人，長沙太守。」《隋書・經籍志》著錄十卷，然已散佚，清代馬國翰輯錄佚文，釐為三卷，收入《玉函山房輯佚書》中，並云：「此書評毛、鄭、王肅之異同，於《箋》義不沒其長，而朋於王者，亦復不少。」[4]

馬國翰所輯孫毓《毛詩異同評》三卷，共計為九十條，茲刺取其中九條，試加分析比較，以見毛、鄭、王三家異同之一斑，亦以見孫毓所評是非得失之一斑。

## 二、孫毓書輯本之分析

以下，先就馬國翰所輯得之孫毓《毛詩異同評》，擇取其中部分內容，試作評析，以見其例。

### (一)論〈山有扶蘇〉篇

《毛詩·鄭風·山有扶蘇》云：

山有橋松，隰有游龍，不見子充，乃見狡童。[5]

《毛傳》云：

狡童，昭公也。

《鄭箋》云：

狡童，有貌而無實。

---

2 《隋書·經籍志》所載王肅關於《詩經》之著作，除《毛詩注》二十卷之外，尚有《毛詩義駁》八卷、《毛詩奏事》一卷、《毛詩問難》一卷。

3 陸德明：《經典釋文》，（臺北，臺灣商務印書館影印文淵閣《四庫全書》本）。

4 馬國翰：《玉函山房輯佚書》，所輯孫毓《毛詩異同評》之序文。

5 孔穎達：《毛詩正義》卷三，（臺北，藝文印書館），頁一七一。

孫毓《毛詩異同評》云：

> 此狡，狡好之狡，謂有貌無實者也，云刺昭公，而謂狡童為昭公，於義雖通，下篇言昭公有狂狡之志，未有用也，《箋》義為長。6

今案〈山有扶蘇〉篇〈小序〉云：「刺忽也，所美非美然。」7而前篇〈有女同車〉之〈小序〉云：「刺忽也，鄭人刺忽之不昏于齊，太子忽嘗有功于齊，齊侯請妻之，齊女賢而不取，卒以無大國之助，至於見逐，故國人刺之。」8考《左傳》桓公六年記北戎伐齊，齊侯乞師於鄭，鄭莊公使世子忽帥師救鄭，大敗戎師，齊侯欲以文姜妻鄭世子忽，忽對以「人各有耦，齊大非耦」，桓公十一年，鄭莊公卒，世子忽繼立，是為鄭昭公，及宋人利用鄭國大臣祭仲，別立莊公之子突，為鄭厲公，昭公乃出而奔衛，故國人多以昭公之不婚於齊，故無大國之助，以至於見逐也。至於〈山有扶蘇〉之詩，孫毓以為，不必如《毛傳》所釋，以狡為狡黠之狡，為刺昭公而發，而當釋為狡好之狡，與《鄭箋》所說「有貌而無實」之義相近。孫毓又舉《鄭風》中〈狡童〉篇〈小序〉云：「刺忽也，不能與賢人圖事，權臣擅命也。」9以為此詩方指鄭昭公出奔之事。要之，孫毓於《鄭風》此條之中，以〈有女同車〉、〈山有扶蘇〉、〈狡童〉三詩，合併討論，以為「狡童」一語，雖曾見於〈山有扶蘇〉及〈狡童〉兩詩之中，而其詞義不必相同，在〈山有扶蘇〉詩中，「狡童」之義，當從《鄭箋》作「有貌而無實」解，不必如〈小序〉之說，指為昭公，在〈狡童〉詩中，「狡童」之義，方可作「狡黠」解，始可與昭公行事有關，始可與〈小序〉所謂「不能與賢人圖事」，致遭「權臣擅命」所誤，其事相關。故孫氏以為，此詩所釋，《鄭箋》之義為長。

## (二)論〈敝笱〉篇

《毛詩・齊風・敝笱》云：

> 敝笱在梁，其魚魴鰥，齊子歸止，其從如雲。[10]

6 孫毓：《毛詩異同評》，（馬國翰：《玉函山房輯佚書》，臺北，大通書局影印馬氏原刻本，一九七四年），下引並同。

7 孔穎達：《毛詩正義》卷三，（臺北，藝文印書館，一九九三年），頁一七一。

8 孔穎達：《毛詩正義》卷三，（臺北，藝文印書館，一九九三年），頁一七〇。

9 孔穎達：《毛詩正義》卷三，（臺北，藝文印書館，一九九三年），頁一七三。

10 孔穎達：《毛詩正義》卷五，（臺北，藝文印書館，一九九三年），頁一九八。

《毛傳》云：

如雲，言盛也。

《鄭箋》云：

其從著之心意如雲然，雲之行，順風耳。

孫毓《毛詩異同評》云：

齊為大國，初嫁寵妹，庶姜庶士，盛如雲雨，故妹來自由，桓公不能禁制。

今案〈敝笱〉篇〈小序〉云：「刺文姜也，齊人惡魯桓公微弱，不能防閑文姜，使至淫亂，為二國患焉。」[11]考《左傳》桓公三年，記齊僖公嫁女文姜於魯桓公，十八年，桓公與文姜如齊，文姜與其兄齊襄公私通，襄公並令公子彭生殺魯桓公，〈小序〉所云，即為其事，孔穎達《毛詩正義》云：「《傳》以如雲言盛，謂其從者多強盛而難常制。」又云：「《箋》

以作詩者，主刺文姜之惡，而言其從如雲，明以文姜惡甚，疾其敗損族類，故易《傳》，以為從者亦隨文姜為惡。」比較毛鄭二說，「如雲」一詞，毛指文姜隨從之盛多，鄭指文姜隨從之從文姜而為惡，義並不同，而孫氏之意，則以《毛傳》為是也。

### (三)論〈七月〉篇

《毛詩・豳風・七月》云：

三之日于耜，四之日舉趾，同我婦子，饁彼南畝，田畯至喜。[12]

《毛傳》云：

饁，饋也，田畯，田大夫也。

[11] 孔穎達：《毛詩正義》卷五，(臺北，藝文印書館，一九九三年)，頁一九八。

[12] 孔穎達：《毛詩正義》卷八，(臺北，藝文印書館，一九九三年)，頁二七九。

《鄭箋》云：

喜讀為饎，饎，酒食也，耕者之婦子，俱以饟來，至於南畝之中，其見田大夫，又為設酒食焉，言勤（勤，注疏本作「勸」）其事，又愛其吏焉。

《王肅注》云：

喜，如字。13

孫毓《毛詩異同評》云：

小民耕農，妻子相饁，雖有冀缺迎賓之敬，大夫儼然，銜命巡司，何為辱身，就耕民公嫗壟畝之閒共飲乎？鄙亦甚矣，而改易《經》字，似非作者之本旨。

今案〈七月〉篇〈小序〉云：「陳王業也，周公遭變故，陳后稷先公風化之所由，致王業之艱難也。」考詩中不見周公陳王業之事，當係豳人陳述農家生活之詞，孔穎達《毛詩正義》

云：「時我耕者之婦子，奉饋食餉彼南畝之中耕作者，田畯來至，見其勤農事，則歡喜也。」[14]則「田畯至喜」，《毛傳》以為田官見耕者之勤勞農耕而喜，而《鄭箋》則以為耕者「又愛其吏」，田官得獲酒食之餉（饟同餉）也。詩中「喜」字，毛公王肅，皆讀本音，鄭玄則破字為解。要之，孫毓於三家所釋，既不贊同鄭玄改易《經》文，更不贊同鄭玄「又愛其吏」，「為設酒食」之說，以為大夫之官，巡行農事，豈可辱身降志，以就耕民之飲食？故於此詩，以為毛王二家之解為是也。

### (四)論〈東山〉篇

《毛詩·豳風·東山》云：

> 我徂東山，慆慆不歸，我來自東，零其其濛，我東曰歸，我心西悲。[15]

《毛傳》云：

13 孫毓：《毛詩異同評》，（臺北，大通書局，一九七四年）。

14 孔穎達：《毛詩正義》卷八，（臺北，藝文印書館，一九九三年），頁二八〇。

15 孔穎達：《毛詩正義》卷八，（臺北，藝文印書館，一九九三年），頁二九四。

公族有辟，公親素服，不舉樂，為之變，如其倫之喪。

《鄭箋》云：

我在東山，常曰歸也，我心則念西而悲。

孫毓《毛詩異同評》云：

殺管叔在二年，臨刑之時，素服不舉，至於歸時，踰年已久，無緣西行而後始悲，《箋》說為長。

今案〈東山〉篇〈小序〉云：「周公東征也，周公東征，三年而歸，勞歸士，大夫美之，故作是詩也。」唯詩中不見美周公、勞歸士之語，當是東征之後，歸士自述其往返之情者，詩中「我心西悲」之語，考《尚書・金縢》云：「既克商，二年，王有疾，弗豫。」又云：「武王既喪，管叔及其群弟乃流言於國，曰，公將不利於孺子，周公乃告二公曰，我之弗辟，我無以告我先王。周公居東二年，則罪人斯得。」[16]考此詩，《毛傳》以為，三監有罪，周公不得不誅之以法，而管蔡等人，終為兄弟公族，故臨刑之時，服素服，不舉樂，以悼念手足。然而，孫毓以為，誅殺三監，在東征二年，至於〈東山〉詩篇之作，嘗言「自我不見，于今三年」，已在歸返之時，踰年已久，不必更於西返之時，而後方悲念手足之情，故孫毓以為，此詩敘歸士之情，軍士家室在西，其在東山，三年之內，思念家鄉，故常念西而自悲也。要之，此詩二句之解，《毛傳》以周公傷懷手足為主，《鄭箋》以軍士思鄉念歸為主，而孫毓分析之後，則以為「《箋》說為長」也。

### (五)論〈四月〉篇

《毛詩‧小雅‧四月》云：

> 匪鶉匪鳶，翰飛戾天，匪鱣匪鮪，潛逃于淵。17

《毛傳》云：

16 孔穎達：《尚書正義》卷十三，（臺北，藝文印書館，一九九三年），頁一八五。

17 孔穎達：《毛詩正義》卷十三，（臺北，藝文印書館，一九九三年），頁四四一。

鶉，鵰也；鵰，鳶，貪殘之鳥也；大魚能逃處淵。

《鄭箋》云：

翰，高；戾，至；鱣，鯉也；言鵰鳶之高飛，鯉鮪之處淵，性自然也，非鵰鳶能高飛，非鯉鮪能處淵，皆驚駭辟害爾，喻民性安土重遷，今而逃走，亦畏亂政故。

《王肅注》云：

以言在位，非鵰鳶也，何則，貪殘驕暴，高飛至天，時賢，非鱣鮪也，何為潛逃以避亂。

孫毓《毛詩異同評》云：

貪殘之人，而居高位，不可得而治，賢人大德，而處潛遁，不可得而用，上下皆失其所，是以大亂而不振。

今案〈四月〉篇〈小序〉云：「大夫刺幽王也，在位貪鄙，下國構禍，怨亂並興焉。」唯詩中不見刺幽王之語，尋其語義，似大夫自傷遭亂之詞，此詩八章，每章四句，前所引用者，見於第七章，此章全用比體，而比喻所重，各有不同，毛公以貪賤之鳥喻小人在位，以大魚喻君子在野。鄭玄以鶉鳶鯉鮪，皆喻為民眾之逃避禍亂。王肅以鶉鳶鱣鮪，皆喻為賢人之不在位者。孫毓之評，則以鶉鳶喻在位之小人，以鱣鮪喻潛遁之君子，故以為「上下皆失其所，是以大亂而不振」，尋其語義，則與《毛傳》之說，約略相近。

## (六)論〈車舝〉篇

《毛詩‧小雅‧車舝》云：

> 覯爾新昏，以慰我心。18

《毛傳》云：

18 孔穎達：《毛詩正義》卷十四，（臺北，藝文印書館，一九九三年），頁四八四。

慰，怨也。（馬輯孫毓本作「慰，怨也」，《經典釋文》亦作「慰，怨也」，注疏本作「慰，安也」）

《鄭箋》云：

我得見女之新昏如是，則以慰除我心之憂也，新昏，謂季女也。

《王肅注》云：

新昏，謂褒姒也，大夫不遇賢女，而後徒見褒姒，讒巧嫉妬，故其心怨恨。

孫毓《毛詩異同評》云：

徧撿今本，皆為慰安，〈凱風〉為安，此當與之同矣，此詩五章，皆思賢女，無緣末句獨見褒姒為恨，肅之所言，非《傳》旨矣。

今案〈車舝〉篇〈小序〉云：「大夫刺幽王也，褒姒嫉妬，無道並進，讒巧敗國，德澤不加於民，周人思得賢女以配君子，故作是詩也。」考此詩五章，每章六句，皆歌詠新婚燕樂之意，且詩中詞語，既無關乎幽王，亦未見有褒姒，唯「周人思得賢女以配君子」，彷彿近之。此詩第五章云：「高山仰止，景行行止，四牡騑騑，六轡如琴，覯爾新昏，以慰我心。」《毛傳》受〈小序〉言褒姒之影響，故釋慰為怨，而王肅承毛公之說，加以發揮，且以非難鄭玄，故曰「其心怨恨」。《鄭箋》以「慰除我心之憂」為說，是釋慰為安心之義。孫毓既謂「偏撿今本，皆為慰安」，又舉出《邶風・凱風》為例，以為〈凱風〉「有子七人，莫慰母心」，《毛傳》亦云：「慰，安也。」則〈車舝〉之詩，慰釋為安，當為常訓，且此詩五章，尋其大義，皆君子思念賢女之事，不宜於全詩之末，忽見褒姒託以怨恨，故孫毓以為，王肅所言，並非《毛傳》之旨，而實受〈小序〉影響之故也。

## (七)論〈大明〉篇

《毛詩・大雅・大明》云：

肆伐大商，會朝清明。19

19 孔穎達：《毛詩正義》卷十六，（臺北，藝文印書館，一九九三年），頁五四〇。

《毛傳》云：

肆，疾也；會，甲也；不崇朝而天下清明。

《鄭箋》云：

肆，故今也；會，合也；以天期已至，兵甲之強，師卒之武，故今伐殷，合兵以清明。

《王肅注》云：

以甲子昧爽，與紂戰，不崇朝而殺紂，天下乃大清明，無復濁亂之政。

孫毓《毛詩異同評》云：

經傳訓詁，未有以會為甲者。

今案〈大明〉篇〈小序〉云：「文王有明德，故天復命武王也。」此詩共八章，其奇數章，每章六句，偶數章，每章八句，自首章至末章，歷敘文王生平及武王滅紂之事，其第八章云：「牧野洋洋，檀車煌煌，駟騵彭彭，維師尚父，時維鷹揚，涼彼武王，肆伐大商，會朝清明。」則專述武王伐紂、戰於牧野之情況。《尚書·牧誓》云：「時甲子昧爽，王朝至于商郊牧野，乃誓。」[20]即記其事，此詩「會朝清明」，毛公釋會為甲，鄭玄釋會為合，王肅乃敘述〈牧誓〉篇所記事，義近於《鄭箋》，孔穎達《毛詩正義》云：「《傳》言會甲，長讀為義，謂甲子日之朝，非訓會為甲。」陳奐《詩毛氏傳疏》云：「小箋云，會，古外切，甲與會，雙聲，凡器之蓋曰會，日之首曰甲，二者演為居首之稱。」又云：「詩之甲朝，一謂甲子日，一謂第一日，天下清明也。」[21]陳奐之書，專疏《毛傳》，自不免曲折相徇，孔穎達之《正義》，亦同於此，然實不能有解於孫毓「經傳訓詁，未有以會為甲者」之評斷也。

## (八) 論〈棫樸〉篇

20 孔穎達：《尚書正義》卷十一，（臺北，藝文印書館，一九九三年），頁一五七。

21 陳奐：《詩毛氏傳疏》，（臺北，臺灣學生書局影印鴻章書局石印本，一九六八年），頁六四八。

《大雅・毛詩・棫樸》云：

芃芃棫樸，薪之槱之。[22]

《毛傳》云：

山木茂盛，萬民得而薪之，賢人眾多，國家得用蕃興。

《鄭箋》云：

白桵，相樸屬而生者，枝條芃芃然，豫斫以為薪，至祭皇天上帝及三辰，則聚積以燎之。

孫毓《毛詩異同評》云：

此篇美文王之能官人，非稱周地之多賢才也，國事莫大於祀，神莫大於天，必擇俊士與共其禮，故舉祭天之事，以明官人之義，又薪之槱之，是燎祭積薪之名，非謂萬民皆當槱燎，《箋》義為長。

今案〈棫樸〉篇〈小序〉云：「文王能官人也。」全詩凡五章，每章四句，首章云：「芃芃棫樸，薪之槱之，濟濟辟王，左右趣之。」《說文》云：「槱，積木燎之也。」[23]《左傳》成公十三年云：「國之大事，在祀與戎。」[24]馬瑞辰《毛詩傳箋通釋》云：「古者燔柴以祭天神。」又云：「此詩二章奉璋是發兵之事，三章六師是伐崇之事，則首章薪之槱之，蓋將出征類乎上帝之事。」[25]孫毓以為，此詩重點在美文王能官人，首章「芃芃棫樸」，言山木茂盛，自是用以取譬，唯所譬重點，在積薪燎祭天神，不在萬民皆當槱燎，故孫氏以為，「《箋》義為長」也。

22 孔穎達：《毛詩正義》卷十六，（臺北，藝文印書館，一九九三年），頁五五六。

23 段玉裁：《說文解字注》卷十一，（臺北，黎明文化事業公司影印經韻樓原刊本，一九九二年），頁二七二。

24 孔穎達：《左傳正義》卷二十七，（臺北，藝文印書館，一九九三年），頁四六〇。

25 馬瑞辰：《毛詩傳箋通釋》，（北京，中華書局，一九八九年），頁八二六。

## (九)論〈常武〉篇

《毛詩·大雅·常武》云：

王命卿士，南仲大祖，大師皇父。[26]

《毛傳》云：

王命南仲於大祖，皇父為大師。

《鄭箋》云：

南仲，文王時武臣也，顯著乎，昭察乎，宣王之命卿士為大將也，乃用其以南仲為大祖者，今大師皇父是也。

《王肅注》云：

皇父以三公而撫軍也，殊南仲於王命親兵也。

孫毓《毛詩異同評》云：

宣王之大將，復字南仲，《傳》無聞焉，且古之命將，皆於禰廟，未有於后稷大祖之廟者，又《經》言南仲大祖，明以南仲為大祖，非命於大祖之文也，昔陳勝舉兵，稱項燕，命將本祖，古今有之，《箋》義為長。

今案〈常武〉篇〈小序〉云：「召穆公美宣王也，有常德以立武事，因以為戒然。」考此詩六章，每章八句，自首章言王命將帥，以伐徐方，其他各章，依次言誓師，在途、軍壯、兵強、凱旋等事，〈小序〉以為美宣王者，是也，唯詩中不見有召穆公所作，因以為戒之事。此詩首章云：「赫赫明明，王命卿士，南仲大祖，太師皇父，整我六師，以脩我戎，既敬既戒，惠此南國。」詩中南仲皇父，毛公、鄭玄、王肅，三人所釋，並不相同，孔穎達《毛詩正義》疏釋《毛傳》之說云：「言王命南仲於太祖，謂於太祖之廟命南仲也。皇父為太師，

26 孔穎達：《毛詩正義》卷十八，（臺北，藝文印書館，一九九三年），頁六九一。

謂命此皇父為太師，毛蓋見其文煩，故以為二人。」又疏釋《鄭箋》之說云：「《箋》以王命卿士以為大將，止當命一人為元帥，不應並命二人，故以為止命皇父而已，以〈出車〉之篇言之，知南仲，文王時武臣，是今所命者，皇父之太祖，故本言之，命皇父為將，必遠本其祖者，因其有積世之功，尤欲使之彰顯故也。」是則毛公之意，以南仲皇父為二人。鄭玄之意，以南仲為皇父之太祖，為文王時之武臣，宣王所命為將者，僅皇父一人而已。王肅之意，則以為「南仲為將，皇父監軍」（說見王先謙《詩三家義集疏》[27]），其義與毛公相近。而孫毓之意，則以為「《箋》義為長」，並舉秦二世時，陳勝舉兵，乃稱項燕之名為例[28]，說明任命將帥，本於其名聲顯赫之先祖，以為號召，其事乃無論古今，實多有之，即以為佐證也。

以上所舉，雖僅九例，然於孫毓《毛詩異同評》一書之要旨，亦可見其一斑。

## 三、陳統書輯本之分析

《隋書・經籍志》載有《難孫氏毛詩評》四卷，晉徐州從事陳統撰，陸德明《經典釋文・敘錄》謂陳統之書「難孫（毓）申鄭（玄）」，今其書久佚，馬國翰《玉函山房輯佚書》輯得一卷。

考馬國翰所輯陳統《難孫氏毛詩評》一卷，共輯得二十七條，其中除第一條《周南・關雎》「鐘鼓樂之」輯自《隋書・音樂志》、杜佑《通典》一百四十一卷，第十三條《小雅・魚麗》「魚麗于罶」，輯自陸德明《經典釋文》，且皆明引陳統之名外，其他二十五條，皆輯自孔穎達《毛詩正義》，又多不具陳統之名者，以下略舉其例，並予分析。

## (一)論〈關雎〉篇

例如第一條，馬國翰據《隋書・音樂志》及杜佑《通典》卷一百四十一所輯陳統《難孫氏毛詩評》關於《周南・關雎》「鐘鼓樂之」詩云：

> 皇后房內之樂，毛萇、侯苞、孫毓，故事皆有鐘聲，而王肅之意，乃言不可。陳統曰，婦人無外事，而陰教尚柔，柔以靜為體，不宜用於鐘。[29]

---

27 王先謙：《詩三家義集疏》卷二十三，（臺北，明文書局，一九八八年），頁九八五。

28 《史記・楚世家》曾記秦王欺楚懷王入秦，終至不返之事。《史記・陳涉世家》記陳勝起兵事云：「乃詐稱公子扶蘇、項燕，從民欲也，袒右，稱大楚。」項燕，為楚國名將，項梁之父。

29 陳統：《難孫氏毛詩評》，載馬國翰：《玉函山房輯佚書》，（臺北，大通書局影印馬氏原刻本，一九七四年），下引並同。

江翰於《續修四庫全書總目提要》云：「此牛弘引統說，雖難孫氏，違於鄭義矣，是編唯此條不誤」。[30]考〈關雎〉篇此句，《毛傳》云：「德盛者宜有鐘鼓之樂。」《鄭箋》云：「琴瑟在堂，鐘鼓在庭，言共荇菜之時，上下之樂皆作，盛其禮也。」故江瀚以為，此條陳統之說，與鄭玄所說不同。

## (二)論〈采蘋〉篇

又如第二條，馬國翰據孔穎達《毛詩正義》所輯陳統《難孫氏毛詩評》中《召南・采蘋》「于以奠之，宗室牖下，誰其尸之，有齊季女」詩云：

王肅以為此篇所陳，皆是大夫妻助夫氏之祭，采蘋蘩以為菹，設之于奧，奧即牖下。又解《毛傳》禮宗室，謂教之以禮於宗室，本之季女，取微主也，其《毛傳》所云，牲用魚，芼之以蘋藻，亦謂教成之祭，非《經》文之蘋藻也，自云述毛，非《傳》旨也，何則，《傳》稱古之將嫁女者，必先禮之於宗室，既云禮之，即云牲用魚，芼之以蘋藻，是魚與蘋藻，為禮之物，若禮之為以禮教之，則牲用魚，芼之以蘋藻，何所施乎？明毛以禮女與教成之祭為一，魚為所用之牲矣，而云以禮教之，非《傳》意也。又上《傳》云，宗室，大宗之廟，大夫士祭於宗室，若非教成之祭，則大夫之妻，自祭夫氏，何故云大宗之廟，大夫豈皆宗子也，且大夫之妻，助大夫之祭，則無士矣，《傳》何為兼言大夫士祭於宗室乎？又經典未有以奧為牖下者矣，據《傳》禮之宗室，與大夫士祭於宗室文同，芼之以蘋藻，與《經》采蘋采藻文協，是毛實以此篇所陳，為教成之祭矣。孫毓以王為長，謬矣。

今案馬國翰據《毛詩正義》此節文字，將「王肅以為此篇所陳」至「為教成之祭矣」，定為孫毓之說，將文末二句，定為陳統之說。而在此文之下，馬國翰有案語云：「案此節不明標陳統之名，而逐句駁王肅，而末以孫毓為謬，是隱用統義也，據補，下皆倣此。」要之，孔穎達《毛詩正義》於此，實「不明標陳統之名」，但馬氏以為，此節既然是逐句駁王肅，而末以孫毓為謬，以此推論，「是隱用統義」，即是暗用陳統駁難孫毓之言。馬氏即據此推論，而認為此節即是陳統《難孫氏毛詩評》中的文字，因而加以輯補，同時，在下文的二十四條之中，馬國翰也即用同樣的態度，輯出陳統《難孫氏毛詩評》的佚文。另外，在《續修四庫全書總目提要》中，對於陳統《難孫氏毛詩評》一書，江瀚評云：「案此未明標陳統姓名，當是孔穎達語，而國翰以其逐句駁難王肅，又末以孫毓為謬，是隱用統義，遂仞為陳

30 《續修四庫全書總目提要》，（北京，中華書局，一九九三年），頁三〇六。

書，以下皆倣此，強輯成卷，其失甚矣。」[31]

江瀚說馬國翰依據《毛詩正義》所輯出之陳統《難孫氏毛詩評》，「以下皆倣此」，則下文再舉數條，以為佐證。

## (三)論〈敝笱〉篇

孔穎達《毛詩正義》於《齊風‧敝笱》篇「齊子歸止，其從如雲」下疏釋云：

孫毓云：「齊為大國，初嫁寵妹，庶姜庶士，盛如雲雨，故妹來自由，桓公不能禁制。」言從者之盛，《傳》意當然。文姜歸魯之日，襄公未為君，言寵妹則非也。

今案馬國翰據《毛詩正義》此節文字，將「齊為大國」至「桓公不能禁制」，定為孫毓之說（參馬氏所輯孫毓《毛詩異同評》），將「言從者之盛」至「言寵妹，則非也」，定為陳統駁難孫毓之言。然而，古書版刻，不用現代標點括號，引文至於何處，實難斷言，馬國翰以《毛詩正義》中前有孫毓之言，其後又似有駁難前文之意，遂斷定後文為陳統之言，但所引《毛詩正義》中，前文確有「孫毓」之名，後文則不見「陳統」之名，馬氏逕加判斷，不免難於取信於人。

## (四)論〈七月〉篇

孔穎達《毛詩正義》於《豳風·七月》篇「饁彼南畝，田畯至喜」下疏釋云：

> 孫毓云：「小民耕農，妻子相饁，雖有冀缺，如賓之敬，大夫儼然，銜命巡命，何為辱身，就耕民公嫗壟畝草間共飲食乎？鄙亦甚矣，而改易《經》字，殆非作者之本旨。」斯不然矣，飲食之事，禮之所重，大夫之勸迎周公，籩豆有踐，鄭人之愛國君，欲授之以飧，何獨田畯之尊，不可為之設食也，說其為設酒食，言民愛其吏耳，何必大夫皆仰田間食乎！

今案馬國翰據《毛詩正義》此節文字，將前文「小民耕農」至「殆非作者之本旨」，定為孫毓《毛詩異同評》之言，將後文「斯不然矣」至「何必大夫皆仰田間食乎」，定為陳統《難孫氏毛詩評》之言，但前文有「孫毓云」，自屬不誤，（馬氏所輯，文字與《毛詩正義》，亦非全同者）而後文並無「陳統」之名，又安知非孔穎達疏釋之語乎！

31 《續修四庫全書總目提要》，（北京，中華書局，一九九三年），頁三〇七。

## (五) 論〈大明〉篇

孔穎達《毛詩正義》於《大雅・大明》篇「會朝清明」下疏釋云：

《傳》云：「會，甲。」肅言：「甲子昧爽以述之，則《傳》言會甲，長讀為義，謂甲子日之朝，非訓會為甲」，孫毓云：「經傳詁訓，未有以會為甲者。」失毛旨而妄難說耳。

今案馬國翰據《毛詩正義》此節文字，將「孫毓云」二句，定為《毛詩異同評》之言，自屬恰當，而將「失毛旨而妄難說耳」一句，定為《難孫氏毛詩評》之言，則似未敢確認者，蓋不見明引自陳統之名下也。

馬國翰依據《毛詩正義》所輯出之陳統《難孫氏毛詩評》二十五條，就前舉數條而言，持與《毛詩正義》，兩相對照，則文字方面，或不盡相同，然大體而論，尚不致影響文義之了解。

總之，對於馬國翰依據《毛詩正義》所輯陳統《難孫氏毛詩評》，江翰曾經有「強輯成卷，其失甚矣」的評論，他的評論，似乎可以從三個方面，去作考察，其一，《毛詩正義》

引用古書，毛公、鄭玄、王肅，以至「孫毓」，皆標出姓名，何以不依據體例，也明標「陳統」之名？其二，如果在引用孫毓文字之後，確是孔穎達自己推闡之言，如江瀚所指者，則不免與唐人「疏不駁注」、「疏不破注」之體例，又有所牴觸。其三，除非肯定在毛公、鄭玄、王肅、孫毓之後，只有「陳統」一人，駁難「孫毓」，則馬國翰「隱用統義」的假設，方可成立，但是，孔穎達《毛詩正義》撰於唐初，所撰之書，於「全緩、何胤、舒瑗、劉軌思、劉醜、劉焯、劉炫」等人的義疏，多有「削其所煩，增其所簡」的斟酌取捨（見孔穎達〈毛詩正義序〉），則又似不宜逕為斷定，凡與孫毓立異者，即皆是陳統之言。要之，馬氏輯本，是否全屬陳統之書，尚有可以存疑斟酌之處。

## 四、結　語

綜合前文所論，約可得出幾點意見，作為結語：

1. 《詩經》之學，發展至漢代，《毛詩》獨盛，既有毛公之《傳》，復有鄭玄之《箋》，鄭之與毛，已有不同，及王肅注《詩》，以申毛駁鄭為主，至於晉代，孫毓撰《毛詩異同評》，討論三家異同，加以評析，已為後世討論毛《傳》鄭《箋》之異同者，開其先河。

2.晉代孫毓所撰《毛詩異同評》十卷，早已亡佚，馬國翰所輯錄者，釐為三卷，共九十條，本文刺取其中九條，舉為例證，以見此書內容大略，又馬氏以為，「此書評毛、鄭、王肅之異同，於《箋》義不沒其長，而朋於王者，亦復不少」，但就馬氏所輯之九十條，粗略統計，則孫毓之意，以為《鄭箋》為長者，約佔三分之二以上，而以毛公王肅為勝者，則不足三分之一，然則馬氏之說，亦不可盡信。

3.孫毓之書，評析毛、鄭、王肅之見，而晉人陳統，復為《難孫氏毛詩評》，以駁難孫毓之說，二書雖已亡佚，僅就馬國翰所輯錄者，大略觀察，也可以窺見其議論之一斑。

4.至於江瀚批評馬氏所輯陳統《難孫氏毛詩評》一書，謂其「強輯成書，其失甚矣」，則亦可作為參考之意見，要之，馬氏輯錄古籍，貪多務得，或欠嚴謹，文句之間，或多譌奪，然其有功於學術，有益於讀者，則不可誣也。

## 五、附論：孫毓陳統二書在《詩經》學史上之意義

《漢書·藝文志》云：「古有采詩之官，王者所以觀風俗，知得失，自考正也。孔子純取周詩，上采殷，下取魯，凡三百五篇，遭秦而全者，以其諷誦，不獨在竹帛故也。」至於

西漢，魯人申公，為《詩訓故》，齊人轅固生，燕人韓嬰，皆有《詩傳》之作，三家皆今文經學，漢初，並列於學官，又有趙人毛公，作「毛詩故訓傳」，乃古文經學，未得立於學官，至東漢平帝時，始得立於學官，其後，齊魯韓三家之書多亡佚，「毛詩」獨存於世。

《隋書・經籍志》記載，漢代鄭眾、賈逵、馬融，並撰有《毛詩傳》，鄭玄亦撰有《毛詩箋》。迄至後世，鄭眾、賈逵、馬融三人之書亦佚，故漢代《毛詩》之學，唯毛公之《傳》、鄭玄之《箋》，獨存於世。

鄭玄〈六藝論〉云：「注〈詩〉宗毛為主，毛義若隱略，則更表明，如有不同，即下己意，使可識別也。」是毛公鄭玄之於《毛詩》，二人所見，已有不同。及至魏初，王肅不滿鄭玄之箋，又撰《毛詩注》，於毛公鄭玄之傳、箋，皆有駁難，亦多自立新解。

朱彝尊《經義考》所記，自王肅以下，為《毛詩》之學者，尚有王基《毛詩駁》、劉璠《毛詩義》、韋昭《毛詩箋傳是非》、《毛詩答雜問》等書，陸德明《經典釋文》於王基《毛詩駁》一書云：「駁王肅，申鄭義。」則是後世學者，於毛公、鄭玄、王肅三家，亦已早有異同得失之評論。

及至晉代，孫毓撰《毛詩異同評》，評論毛、鄭、王三家異同得失，而稍後陳統，又撰《難孫氏毛詩評》，非難孫毓之書，然則，董仲舒早已有言：「《詩》無達詁。」後世學者，欲於《毛詩》之學，申此非彼，自不免徒勞無功，反增困擾，然則研治《毛詩》，不如以毛公還之毛公，以鄭玄還之鄭玄，以王肅還之王肅，各就其一家之學，各還其歷史之地位，至於孫毓與陳統之書，其在《詩經》學史之上，亦正所以反映董仲舒該一觀點之不可更易，亦自有其歷史之地位存焉。

（此文原載於中央研究院中國文哲研究所《魏晉南北朝經學國際研討會論文集》，二〇一六年出版）

# 貳、〈文侯之命〉論考

## 一、引　言

《尚書》中有〈文侯之命〉一篇，但是，篇中的文侯，究竟是「晉文侯」？抑是「晉文公」？歷史上卻有不同的看法。然而，在春秋史上，晉文侯與晉文公二人，卻相距了一百多年，晉文侯名仇，晉文公名重耳，二人當時所面對的周天子，也有周平王與周襄王之分別，則〈文侯之命〉中的「文侯」，到底應該是誰呢？這不僅關係到〈文侯之命〉一篇的主角是誰的問題，也關係到後世史家對於周平王或周襄王在歷史地位上的評價問題，本文試就此相關問題，作一探討。

## 二、論「文侯」是「晉文侯」抑是「晉文公」

《尚書》中有〈文侯之命〉一篇，但是，篇中的「文侯」，究竟是誰，卻有不同的說法，以下，我們先錄出〈文侯之命〉的全文，再作檢查討論，《尚書・文侯之命》云：

> 王若曰，父義和，丕顯文武，克慎明德，昭升于上，敷聞在下，惟時上帝集厥命于文王，亦惟先正，克左右昭事厥辟，越小大謀猷，罔不率從，肆先祖懷在位。嗚呼！閔予小子嗣，造天丕愆，殄資澤于下民。侵戎，我國家純。即我御事，罔或耆壽，俊在厥服，予則罔克。曰惟祖惟父，其伊恤朕躬。嗚呼，有績予一人，永綏在位。
>
> 父義和，汝克紹乃顯祖，汝肇刑文武，用會紹乃辟，追孝于前文人。汝多修，扞我于艱，若汝，予嘉。
>
> 王曰：父義和，其歸視爾師，寧爾邦。用賚爾秬鬯一卣，彤弓一，彤矢百，盧弓一，盧矢百，馬四匹。父往哉，柔遠能邇，惠康小民，無荒寧，簡恤爾都，用成爾顯德。[1]

〈文侯之命〉中的「文侯」，到底是誰？以下，即作一討論。

## 甲、以文侯為〈晉文侯〉者

《尚書、文侯之命‧小序》云：

平王錫晉文侯秬鬯圭瓚，作〈文侯之命〉。[2]

〈小序〉明謂文侯為「晉文侯」，而《史記‧周本紀》云：

（幽王）三年，幽王嬖愛褒姒，褒姒生子伯服，幽王欲廢太子，太子母，申侯女。後幽王得褒姒，愛之，欲廢申后。并去太子宜臼，以褒姒為后，以伯服為太子。……褒姒不好笑，幽王欲其笑，萬方，故不笑。幽王為烽燧大鼓，有寇至則舉火。諸侯悉至，至而無寇，褒姒乃大笑，幽王說之，為數舉烽火，其後不信，諸侯益未不至。……又廢申后，去太子也，申侯怒，與繒、西夷犬戎攻幽王，幽王舉烽火徵兵，兵莫至，遂殺幽王驪山下，虜褒姒，盡取周賂而去。於是諸侯乃即申侯而共立幽王太

1 孔穎達：《尚書正義》卷二十，（臺北，藝文印書館，一九九三年），頁三〇九。

2 孔穎達：《尚書正義》卷二十，（臺北，藝文印書館，一九九三年），頁三〇七。

子宜臼，是為平王，以奉周祀。平王立，東遷于雒邑，辟戎寇。3

西元前七七九年，周幽王納褒姒，生子伯服，並立以為太子，又以褒姒為后，而將原后申侯之女廢棄，並廢申后所生之太子宜臼。西元前七七一年，申侯率犬戎入寇，犬戎弒殺幽王，諸侯立宜臼為平王。西元前七七〇年，平王自鎬京遷都洛邑，是為東周之始。

平王之時，周室衰弱，東方諸侯，以晉文侯為首，聯合衛侯、鄭伯、秦伯，共同出兵，安定王城。由於晉文侯有功周室，故平王乃賜以車馬、弓矢、秬鬯，加以酬庸，於是史臣乃記述為〈文侯之命〉。

## 乙、以文侯為「晉文公」者

另外，司馬遷《史記》對此，卻有不同的記載，〈晉世家〉云：

（晉文公五年五月丁未）獻楚俘於周，駟介百乘，徒兵千。天子使王子虎命晉侯為伯，賜大輅，彤弓矢百，玈弓矢千，秬鬯一卣，珪瓚，虎賁三百人。晉侯三辭，然後稽首受之。周作〈晉文侯命〉：「王若曰：父義和，丕顯文、武，能慎明德，昭登於上，布聞在下，維時上帝，集厥命于文、武，恤朕身，繼予一人永其在位。」於是晉文公稱伯。癸亥，王子虎盟諸侯於王庭。[4]

今案晉文公五年，當周襄王二十年，即西元前六三二年，上距西元前七七一年周平王之立，已經相去一百三十八年。則《尚書·文侯之命》一篇，所記史事，竟有如此巨大之時間差異，不免令人詫異。其實，司馬遷之記載，唐代司馬貞，為《史記》撰《索隱》時，已經加以糾正，司馬貞《史記索隱》云：

《尚書·文侯之命》，是平王命晉文侯仇之語，今此文乃襄王命文公重耳之事，代數懸隔，勳策全乖。太史公雖復彌縫左氏，而系家頗亦時有疏謬。裴氏《集解》亦引孔（安國）、馬（融）之注，而都不言時代乖角，何習迷而同醉也？然計平王至襄王為七代，仇至重耳為十一代而十三侯。又平王元年至魯僖二十八年，當襄二十年，為一百三十餘歲矣，學者頗合討論之。[5]

3 司馬遷：《史記》卷四，（臺北，鼎文書局，一九九三年），頁一四七。
4 司馬遷：《史記》卷三十九，（臺北，鼎文書局，一九九三年），頁一六六六。
5 司馬遷：《史記》卷三十九，（臺北，鼎文書局，一九九三年），頁一六六六。

司馬貞指責〈晉世家〉的記載有所繆誤，宜加糾正，所持的理由，也多可憑信。

考《左傳》僖公二十八年記云：

（晉文公五年丁未）獻楚俘于王，駟介百乘，徒兵千。鄭伯傳王，用平禮也。己酉，王享醴，命晉侯宥。王命尹氏及王子虎、內史叔興父，策命晉侯為侯伯，賜之大輅之服，戎輅之服，彤弓一，彤矢百，玈弓矢千，虎賁三百人，曰：「王謂叔父，敬服王命，以綏四國，糾逖王慝。」晉侯三辭，從命，曰：「重耳敢再拜稽首，奉揚天子之丕顯休命。」受策以出，出入三覲。

杜預《左傳注》云：

傳，相也。以周平王享晉文侯仇之禮享晉侯。6

《左傳》記述晉楚城濮之戰，晉國大勝，而將所俘虜之楚國士卒，獻于周襄王，襄王因晉文公重耳能夾輔周室，尊王攘夷，有功華夏民族，故而以當年周平王褒揚賞賜晉文侯的禮儀，接見晉文公，並命鄭文公（周襄王之上相）為輔助行禮之官吏。《左傳》這一段記述，史事與文辭都與《史記・晉世家》中所敘述的頗相類似，也因此誤導了司馬遷，太史公在〈晉世家〉中敘述那一段史事時，便將史事中的周襄王誤視為周平王，將晉文公誤視為晉文侯，而不知歷史的時空和人物，都已經錯置。

屈萬里教授曾撰有〈尚書文侯之命著成的時代〉一文，在文中，他提出三點意見，並加以疏通證明：

1. 義和是晉文侯，晉文侯非晉文公。
2. 〈文侯之命〉所表現的情勢，和晉文侯合，和晉文公不合。
3. 〈文侯之命〉所記載的錫賜之物，和周襄王賜晉文公的不合。

針對以上三點意見，並加以疏通證明之後，屈教授說，「我可以負責地說，〈文侯之命〉是周平王錫命晉文侯之書，而非周襄王錫命晉文公之書」，並且指出，「〈文侯之命〉的著成時代，應當在周平王的十一年」。[7]

屈教授的考證，其結論應當可以憑信。

---

6 孔穎達：《左傳正義》卷十六，（臺北，藝文印書館，一九九三年），頁二七三。

7 屈萬里：《書傭論學集》，（臺北，臺灣開明書局，一九六九年），頁八十六。

## 三、論周平王的歷史評價

從前節討論中所得到的結果，《尚書》中〈文侯之命〉篇中的「文侯」，應該是晉文侯，而非晉文公，由此推論，〈文侯之命〉篇中的「王」，自然就是周平王，而非周襄王。因此，在此節之中，我們也便引述幾位歷史學者的意見，看看他們對於〈文侯之命〉篇中的周平王，怎樣去評論他的歷史地位。

### 甲、對平王表示同情與稱許者

晚明時代的王船山，對於周平王採取較為同情與稱許的態度，他在《尚書引義》卷六〈文侯之命〉云：

> 繫〈小弁〉〈雅〉，而不與〈揚之水〉同列於《國風》，旌孝子之志也。東周無傳《書》，而錄〈文侯之命〉繼〈畢〉、〈冏〉，存周道之遺也。以平王猶有君人之道焉，故《春秋》不始平王而始於桓王。[8]

《詩・小雅》有〈小弁〉一詩，〈小序〉云：「〈小弁〉，刺幽王也，太子之傅作焉。」[9]

朱熹《詩集傳》云：「舊說幽王太子宜臼被廢，而作此詩。」[10]又《詩・王風》有〈揚之水〉一詩，〈小序〉云：「〈揚之水〉，刺平王也，不撫其民，而遠屯戍於母家，周人怨思焉。」[11]朱熹《詩集傳》云：「平王以申國近楚，數被侵伐，故遣畿內之民戍之，而戍者怨思，作此詩也。」[12]王船山以為，〈小弁〉與〈揚之水〉二詩，皆詠平王之事，而孔子刪詩之時，取〈揚之水〉列於《國風》，取〈小弁〉列於《小雅》，乃在表揚孝子平王之心志。船山又以為，東周所傳之《尚書》，篇第不多，而孔子刪書之時，錄存〈文侯之命〉一篇，列於〈畢命〉、〈冏命〉二篇之後，也是意在保留周代治道之遺風，主要則在彰明周平王雖遭君國巨變，尚能保有君臨天下，勢為天子之意態，故船山以為，孔子修《春秋》，不肇始於平王東周之初，而肇始於桓王。今案周平王登基之後，遷都雒邑，是為東周，在位五十一年。孔子修《春秋》，肇始於平王四十九年（西元前七二二年，魯隱公六年），越三年，平王五十一年（西元前七一九年，魯隱公三年），平王薨，平王之孫周桓王繼立。因此，王船

8 王船山：《尚書引義》卷六，（長沙，嶽麓書社，一九八八年），頁四二四。
9 孔穎達：《毛詩正義》卷十二，（臺北，藝文印書館，一九九三年），頁四二〇。
10 朱熹：《詩集傳》卷十二，（香港，中華書局，一九六一年），頁一三九。
11 孔穎達：《毛詩正義》卷四，（臺北，藝文印書館，一九九三年），頁一五〇。
12 朱熹：《詩集傳》卷四，（香港，中華書局，一九六一年），頁四十四。

山以為《春秋》「不始於平王而始於桓王」，並非依據於史實，只是意在同情周平王而已。

王船山《尚書引義》卷六〈文侯之命〉又云：

周之下夷於列國，而不可復興，自桓王始。宗周之亡，則亡於幽王矣，平王其何咎焉？入春秋之三年，《經》書天王崩，君子之所悼也。桓王忘親黷貨，失信無刑，而周始降於列國。……《春秋》書從王伐鄭，背先王之信，忘其有功於社稷，奪其政而又加之兵，師敗身傷，為天下僇，無君人之道也。故周之降於列國，桓王為之也。於是夫子閔天下之無王，而《春秋》作。使桓王能繼平王之志而成其事，《春秋》何為而作哉！[13]

宗周之亡，船山怪罪於幽王，周之下夷於諸侯，船山則歸咎於桓王，而不言平王有任何之責任。周之衰亡，幽王自有罪咎，《春秋》桓公五年記：「秋、蔡人、衛人、陳人，從（桓）王伐鄭。」《左傳》云：「王奪鄭伯政，鄭伯不朝，秋，王以諸侯伐鄭，鄭伯禦之。……王卒大敗，祝聃射王中肩。」[14]周之降於列國，桓王自應負有責任，但平王又如何能夠置身事外，獨享嘉譽？王船山《尚書引義》卷六〈文侯之命〉又云：

申生不忍明見謗之由而死於驪姬，君子曰：此其所以為恭世子，謂其不足於孝也。故死之非難，而生之不易……。謂申侯以太子之故，與犬戎攻殺幽王者，司馬遷之妄也。〈詩序〉稱西戎、東夷交侵中國，用兵不息而抵於亡，則亡西周者戎也，申侯其何與焉？……且惟恐以無後為不孝之尤，平王之志苦矣。安於放以緩君父之怒，全其身以繼宗社之守，仁人之道也。15

司馬遷《史記・周本紀》，謂周幽王廢申后，去太子宜臼，申侯為申后之父，宜臼之外祖父，申侯因怒而與繒及西夷犬戎攻幽王，殺幽王於驪山之下。王船山乃謂幽王之亡，與申侯全無關係，而平王為孝子仁人，則不免推論過遠，言之無所依據。

王船山《尚書引義》卷六〈文侯之命〉又云：

周之東遷，晉、鄭焉依，非特立國之所憑，亦復興之所籍也。安其身而後動，則鄭居

13 王船山：《尚書引義》卷六，（長沙，嶽麓書社，一九八八年），頁四二四。

14 孔穎達：《左傳正義》卷六，（臺北，藝文印書館，一九九三年），頁一〇五。

15 王船山：《尚書引義》卷六，（長沙，嶽麓書社，一九八八年），頁四二四。

> 虢、檜之墟，以鎮撫東方，而固成周之左臂。定其交而後求，則晉臨汾、絳，渡衣帶之河水，而即踐雍州之庭。故其後，晉之持秦者五百餘載。韓不亡，而雒邑之九鼎，秦雖暴，不敢問也。則平王之授鄭政者，為綢繆根本之遠圖，而其命義和也，乃控制關中之至計。……賜之弓矢，假以專征，所以睦晉而制秦也。平王之志深矣。[16]

《左傳》隱公六年記載：「鄭伯如周，始朝桓王也，王不禮焉。周桓公言於王曰：我周之東遷，晉、鄭焉依。善鄭，以勸來者，猶懼不蔇，況不禮焉？鄭不來矣。」[17]平王東遷，晉國鄭國，確有輔相之功，史有明文，但引申為平王授鄭大政，為綢繆根本之遠圖，賜晉弓矢，乃控制關中之至計，皆屬平王之深心規畫，則恐引申過遠，為平王智力所不能至者。

王船山《尚書引義》卷六〈文侯之命〉云：

> 乃周不亡於犬戎之禍，猶為弁冕本源以施於赧王也，又豈非平王不可泯之功。[18]

王船山甚且以為，周之不亡於犬戎，自平王之後，傳位二十二王，延祚達五百餘年，直至周赧王，始為秦所滅亡，乃是平王之功勞，只是，如此推論，不免過甚其詞，所為推崇之語，平王有知，恐怕也不敢承擔接受。

另外，近代學者唐文治在《尚書大義》中云：

竊以為平王不過孱弱之主耳，責以扶衰起弱，固非其人，蓋天之衰周也，非人之所能為也。當厲王時，以惡聞其過，公卿懼誅而禍作，厲王遂奔於彘，止謗之害如此，可為殷鑒矣。幸一傳而得宣王，稍復文武之遺規，乃再傳而為幽王，虐燄更甚，赫赫宗周，褒姒威之，讀〈苕華〉〈何草不黃〉之詩，令人於邑不能置，平王痛我生之不辰，哀逢天之癉怒，〈小弁〉之詩曰：「行有死人，尚或墐之。」蓋其不死於幽王褒姒之手，亦幾希矣，故孟子曰：「親親，仁也。」平王固尚得親親之道焉。厥後倉皇東徙，收拾殘棋，其晉鄭是依者，亦事急而相隨耳，……不幸而又得不肖子桓王，一啟祭足取禾之師，再開祝聃射肩之禍，而周室之積弱，從此不振矣，可不悲哉。……故孔子刪《書》，而載〈文侯之命〉，其感喟於盛衰之際，為如何也。嗚呼，以孱弱之君主，值昏闇之嗣君，而猶得以守府也，則天之所以待周者，為不薄也。[19]

16 王船山：《尚書引義》卷六，（長沙，嶽麓書社，一九八八年），頁四二四。
17 孔穎達：《左傳正義》卷四，（臺北，藝文印書館，一九九三年），頁七十一。
18 王船山：《尚書引義》卷六，（長沙，嶽麓書社，一九八八年），頁四二四。
19 唐文治：《尚書大義》，（臺北，廣文書局，一九七〇年），頁七十七。

唐氏對於平王，也表示了深深的同情之意，但他對平王行事的評論，則尚稱中肯。

## 乙、對平王表示批評與指摘者

較早，提出對周平王有批評與指摘意見者，可以宋代蔡沈為代表，蔡沈在《書經集傳》卷六〈文侯之命〉中云：

> 平王以申侯立己為有德，而忘其弒父為當誅，方將以復讎討賊之眾，而為戍申戍許之舉，其忘親背義，得罪於天，已甚矣，何怪其委靡頹墮而不自振也哉！然則是命也，孔子以其猶能言文武之舊而存之歟？抑亦以示戒於天下後世而存之歟？[20]

針對平王忘記申侯殺父之仇，而一意感激申侯立己之恩，作出嚴厲之批評。也對孔子刪《書》，保留〈文侯之命〉一篇的用意，究竟是贊許其能延續文武之業？或是用以表示對平王的批評，以警惕後世的人主？也提出了可供參考的資料。

另外，晚明時代的顧亭林，對於周平王的歷史評價，則有另外的看法，顧亭林《日知錄》卷二〈文侯之命〉云：

《竹書紀年》：「幽王三年，嬖褒姒。五年，王世子宜臼出奔申。八年，王立褒姒之子伯盤為太子。九年，申侯聘西戎及鄫。十年，王師伐申。十一年，申人、鄫人及犬戎入周，弒王及王子伯盤。申侯、魯侯、許男、鄭子立宜臼於申，虢公翰立王子餘臣於攜，周二王並立。平王元年，王東徙洛邑。晉侯會衛侯，鄭伯、秦伯，以師從王入於成周。二十一年，晉文侯殺王子餘臣於攜。」然則〈文侯之命〉，報其立己之功，而望之以殺攜王之效也。鄭公子蘭之從晉文公而東也，請無與圍鄭，晉人許之。[21]

《竹書紀年》所透露的訊息是，幽王既寵褒姒，又廢申后及太子宜臼，立褒姒為后，宜臼乃出奔申國，投靠外祖父申侯。其後，幽王立褒姒之子伯盤為太子。幽王又主動遣師討伐申侯，然後，申侯乃與鄫人、犬戎入周，弒幽王及太子伯盤，而立宜臼於申，是為平王，平王乃自申遷都於雒邑。而虢公翰另立王子餘臣為攜王。平王二十一年，晉文侯殺攜王。這是根據信史，敘述西周至東周歷史演變之過程。在此過程中，宜臼既廢，先逃至申國，依外祖申侯，幽王又主動遣師討伐申侯，然後申侯迫於家事（申侯之女申后及外孫太子宜臼遭廢）國

20 蔡沈：《書經集傳》卷六，（臺北，新陸書局，一九六五年），頁二一八。

21 黃汝成：《日知錄集釋》卷二，（上海，上海古籍出版社，二〇〇六年），頁一〇九。

事（中國被幽王征伐）在先，乃聯合鄫人與犬戎入周，弒殺幽王及太子伯盤，而立宜臼為平王在後。是幽王被弒，事由幽王倒行逆施而起，而太子宜臼被廢，主動投奔申侯，幽王又遣兵伐申，申侯亦被逼侵入鎬京，與鄫人犬戎弒殺幽王。從此史事觀之，西周之亡，幽王被弒，非僅由於「亡西周者戎也」，申侯既不能毫無過咎，太子宜臼（平王）也未能置身事外，一似西周之亡，與己無所關涉，而僅具延存東周之功績。

自周幽王之被弒，東周實有二王，周平王與攜王，並立二十年，至平王二十一年，晉文侯殺攜王，而後平王，為東周唯一之君王。晉文侯之殺攜王，與周平王之賜晉文侯秬鬯圭瓚，未知孰者在前，何者在後，但晉文侯既確有殺周攜王之行為，則此二事，似不能全然毫無關聯！亭林謂「然則〈文侯之命〉報其立己之功，而望之以殺攜王之效也」，也並非純屬揣測之詞。至於是否還有「睦晉而制秦」（王船山語）的心意存在，則更不易推測了。

顧亭林《日知錄》卷二〈文侯之命〉又云：

> 今平王既立於申，（顧氏原注云：「申國在今信陽州。」）自申遷於洛邑，而復使周人為之戍申，（顧氏原注云：「《竹書紀年》：平王三十三年，楚人侵申。三十六年，王人戍申。」）則申侯之伐，幽王之弒，不可謂非出於平王之志者矣。當日諸侯但知其冢嗣為當立，而不察其與聞乎弒為可誅。虢公之立王子餘臣，或有見乎此也。[22]

亭林以為幽王之被弒，宜臼「與聞乎弒」，如果解釋為宜臼主動之參與，或非實情，但如果說宜臼完全不知申侯之謀，置身事外，一無牽涉，恐也並非事實，至於虢公翰另立王子餘臣於攜，是否於幽王之弒，不滿宜臼之知情而不加阻止，有違人倫，或主動參與申侯之伐周，不顧宗社危亡，則亭林之推測，也可備參考而已，難於證明其確有其情，或全無其情。

顧亭林《日知錄》卷二〈文侯之命〉又云：

自文侯用師，替攜王以除其逼，而平王之位定矣。後之人徒以成敗論，而不察其故，遂謂平王能繼文武之緒，而惜其棄岐豐七百里之地，豈為能得當日之情者哉！孔子生於二百年以後，蓋有所不忍言，而錄〈文侯之命〉於《書》，錄〈揚之水〉之篇於《詩》，其旨微也。（顧氏原注云：〈葛藟〉，〈詩序〉謂「平王棄其九族」，似亦未可盡非。）23

孔子刪《詩》、《書》，錄存〈揚之水〉於《王風》，錄存〈文侯之命〉於《尚書》之末，

22 黃汝成：《日知錄集釋》卷二，（上海，上海古籍出版社，二〇〇六年），頁一〇九。
23 黃汝成：《日知錄集釋》卷二，（上海，上海古籍出版社，二〇〇六年），頁一〇七。

對於平王，用意是褒是貶？確實難於判斷，或者說，錄存兩篇，以供世人鑑戒，也未可知。

顧亭林《日知錄》卷二〈文侯之命〉又云：

《傳》言平王東遷，蓋周之臣子美其名爾，綜其實不然。凡言遷者，自彼而之此之辭，盤庚遷於殷是也。幽王之亡宗廟社稷，以及典章文物，蕩然皆盡，鎬京之地，已為戎狄之居，平王乃自申東保於洛，天子之國與諸侯無異，而又有攜王與之頡頏，並為人主者二十年，其得存周祀，幸矣，而望其中興哉！[24]

《史記．殷本紀》記載：「帝盤庚之時，殷已都河北，盤庚乃渡河南，復居成湯之故居。……乃遂涉河南，治亳。」《史記．周本紀》：「平王立，東遷于雒邑，辟戎寇。」顧氏以為，盤庚遷殷，並無外力之干涉，故可用「遷」字，若如平王，為外力所逼，棄其宗廟，自不得濫用遷徙之字。針對顧氏此論，丁晏《日知錄校正》云：「顧氏之論至正，不獨《書》、《詩》之旨微，竊謂《春秋》托始平王，即誅亂賊之微意。」[25]其說可供參考。

## 四、結　語

經過前兩節之討論，可以得出一些意見，作為本文之結語。

1.〈書序〉云：「平王賜晉文侯秬鬯圭瓚，作〈文侯之命〉。」天子賜命諸侯，何等大事，何等榮耀，但是，〈書序〉並未說明天子賜命晉文侯的原因何在？

2.《左傳》隱公六年記云：「周桓公言於（桓）王曰：我周之東遷，晉、鄭焉依。」[26]東周遷都雒邑，晉國鄭國，都有輔相之功。況且，《左傳》隱公元年記云：「初，鄭武公娶于申，曰武姜，生莊公及共叔段。」[27]鄭武公娶申侯之女為夫人，平王之母亦為申侯之女，則鄭國與平王之親密關係，尤當勝於晉國與平王之關係，則何以晉文侯受平王秬鬯圭瓚之賜，而鄭武公未受秬鬯圭瓚之賜，也未見有〈武公之命〉一篇傳世？

3.由此推測，晉文侯所能提供予周平王之幫助者，必將有更勝於「周之東遷，晉鄭焉依」之上者存在。

4.根據《竹書紀年》所記，周幽王被弒之後，申侯等立平王，虢公翰立攜王，是東周有二王並立，皆係幽王之子，難分高下，難定正嫡，達二十一年之久，至晉文侯殺攜王，平

24 黃汝成：《日知錄集釋》卷二，（上海，上海古籍出版社，二〇〇六年），頁一〇七。
25 黃汝成：《日知錄集釋》卷二，（上海，上海古籍出版社，二〇〇六年），頁一一一。
26 孔穎達：《左傳正義》卷六，（臺北，藝文印書館，一九九三年），頁七十一。
27 孔穎達：《左傳正義》卷二，（臺北，藝文印書館，一九九三年），頁三十五。

王乃成為周室唯一之正統天王，地位底定，因此，平王賞晉文侯秬鬯圭瓚之賜，晉文侯也除去攜王，滿足了平王的「願望」，顧亭林的推測，也不無道理。

5.《竹書紀年》云：「（平王）二十一年，晉文侯殺王子餘臣於攜。」屈萬里教授所撰〈尚書文侯之命著成的時代〉一文，推測〈文侯之命〉著成的年代，應當是在周平王的十一年，也即是晉文侯殺攜王之同一年。兩種說法，並不相同，但是，不論是平王十一年，或是平王二十一年，卻都是晉文侯與鄭文武公共同勠力輔佐周平王的年代。也不妨礙本文所推測的看法。

6.周室東遷，晉鄭焉依，晉國鄭國，在平王心中，理應等量齊觀，榮寵並臻，鄭武公不滿於晉文侯獨受榮賜，又不滿於己身在平王心中地位日低，關係日疏，以至有「周鄭交質」，鄭人取周之麥，取周之禾，以至「周鄭交惡」（並在隱公三年）之事發生，平王薨後，桓王繼立，乃至有「王奪鄭伯政，鄭伯不朝」、「王以諸侯伐鄭，鄭伯禦之」、「王卒大敗，祝聃射王中肩」（並在桓公五年）等事件發生，推究原因，皆由於平王之偏私晉文侯，大加賞賜，令鄭武公深覺不公，引為羞恥所致。

7.周平王是一個悲劇性的人物，他的一生，糾纏在母親、父親、外祖父、兄弟手足的愛怨情仇之間，也深陷在自己的權位、名利、責任、天下、國家的重重漩窩之中，他的遭遇，令人同情，但要說他具備了遠大的眼光，規畫出長久的戰略目標，「授鄭政者，為綢繆根本之遠圖，而其錫命羲和也，乃控制關中之至計」（王船山語），則未免是過分誇張了對他的期望，遠離了事實的真相，而顧亭林之所論，反較近於史實。

# 參、《周易》古經之形式結構與義理系統

## 一、引 言

《周易》古經之中，有形式結構，也可能有義理系統，形式結構是已經存在的，義理系統的有無，似乎還在爭議之中，但是，《周易》古經如果有義理系統，則義理系統也必須依附形式結構而產生，因此，討論《周易》古經是否具有義理的系統，卻必須先討論《周易》古經的形式結構。

## 二、《周易》古經形式結構的產生

現存的《周易》古經，包括陰陽爻、八卦、六十四卦，三百八十四爻，以及卦名、卦辭、爻辭，這些都是屬於古經的部分。

前人在討論到《周易》古經部分的產生時，常會提到伏羲初畫八卦，至於重疊八卦為六十四卦之人，則有不同的說法，有人主張伏羲重卦，有人以為神農重卦，有人以為夏禹重卦，有人以為文王重卦[1]，因此，並未能肯定究竟誰是重卦之人。我們以為，一切事物，都是由簡而趨繁的，因此，如果只討論《周易》古經逐漸形成的過程，應該是說，先有陰陽⚊⚋的符號，再以⚊⚋重疊三畫，形成為八卦，再以八卦重疊六畫，推演形成為六十四卦，然後於每卦定以卦名及繫以卦辭，再於每卦六爻繫以爻辭，這樣由少至多，由簡趨繁的次序，也許較為合乎事實。

經過如此的演變，《周易》古經的形式結構，才於是形成。

《周易》古經的基本結構形成之後，除了八卦及六十四卦的象徵意義之外，也自然呈現出一些結構性的規律，例如：

二體——下卦稱「貞」，上卦稱「悔」。

三才——初二爻為「地位」，三四爻為「人位」，五六爻為「天位」。

當位——初、三、五爻為陽位，二、四、六爻為陰位，凡陽爻居陽位，陰爻居陰位，為「當位」。凡陽爻居陰位，陰爻居陽位，為「不當位」。

中——二爻居下卦之中，五爻居上卦之中，稱「中」。

承、乘——下爻緊接上爻，稱「承」。上爻下凌下爻，稱「乘」。

比、應——兩爻相連，稱「比」，如初與二比，二與三比。下卦三爻，與上卦三爻，兩兩交感，稱「應」，如初與四應，二與五應。

卦主——每卦六爻，有為主之爻，稱「卦主」。

互卦——每卦六爻，其二、三、四爻，與三、四、五爻，兩者合成另一六爻之卦，稱「互卦」。

類似以上這些結構性的規律，都是從六十四卦之中，自然地呈現出來，但是，這些規律，都是構成《周易》古經義理系統的基本要素，卻還不是真正的義理系統，因此，在下一節中，我們將從另外一個角度去作考察。

## 三、《周易》古經有無義理系統的問題

《周易》古經形成之後，進一步才要討論《周易》古經有無義理系統的問題。

在上一節中，我們推測《周易》古經的形成，在此，我們緊接著討論的是，六十四卦，每卦中六爻的爻辭自何而來？每卦的卦辭因何而有？每卦的卦名因何而產生？進一步，每卦

1 孔穎達：《周易正義》卷一〈第二論重卦之人〉，（臺北，藝文印書館，一九九二年），頁四。

六爻爻辭相互之間，有無思想義理的關聯？這是就近處每一卦而設問的問題。如果更進一步，就《周易》古經全盤而論，則六十四卦每卦各自彰顯什麼思想義理？六十四卦全部又彰顯什麼思想義理？卦與卦之間，其思想義理有無關聯性？

一種情形是說，《周易》本是卜筮之書，《周易》六爻的爻辭，是古人取自龜卜占筮的卜辭，而任意繫於《周易》六爻之下，以供卜筮之用，因此，六爻爻辭之間，自然談不到有什麼思想意義的聯繫。

一種情形是說，《周易》的六爻，顯現了爻象的特性，前人即依據此種六爻爻象的特性，而繫之以意義相近的爻辭，因此，六爻之間，自然有著因象見意的義理關係。

在當代，主張前一種說法的，以朱伯崑先生為代表，主張後一種說法的，以屈萬里先生為代表。

朱伯崑先生在《易學哲學史》中說：

> 就《周易》全書的情況看，大部分內容仍屬于筮辭的堆砌，多數的卦爻辭之間缺乏甚至沒有邏輯的關繫。所以《周易》還不是《詩經》一類的文學作品，也不是哲學著作，而是一部占筮用的迷信典籍。[2]

另外，屈萬里先生在〈周易卦爻辭成於周武王時考〉一文中說：

由卦爻辭中器用及習語覘之，知其成書之時代，至遲亦決不得下逮東周。由其專用字及其一貫之體例證之，知其為創作而非纂輯，成於一人而非出諸眾手。

又說：

作易者曾定有若干專用字，而有其「整個的一套」也。

又說：

且卦名如文章之題目，卦辭爻辭，皆本此題目發揮。凡此皆可見卦序、卦辭、爻辭，係一整體而非雜湊者，其為一氣呵成而非成於異時或出諸眾手，可斷言矣。[3]

2 朱伯崑：《易學哲學史》第一卷，（臺北，藍燈文化公司，一九九一年），頁十二。

3 屈萬里：〈周易卦爻辭成於周武王時考〉，載《書傭論學集》，（臺北，臺灣開明書局，一九六九年），頁十五。

兩位先生對於《周易》古經是否具有義理系統的看法，竟然如此分歧，南轅北轍，令人難於取捨。同時，在屈先生的論文中，他對於《周易》與龜卜的異同，也有不同於一般的看法，他以為，「《易》之為占也，與殷代龜卜異。殷龜卜無定辭，視其兆以為占。《易》則有定辭，就筮得之辭以推論其吉凶者也」，這也可以幫助我們作出抉擇。

以下，我們就從《周易》古經的形式結構去尋求它的義理系統，《周易》古經的義理系統既然是依附它的形式結構而產生，卦爻辭依卦爻象而產生，那麼，卦爻辭的內容必然與卦爻象相依並相應，因此，每卦六爻所衍生的六項義理，必然也形成一個小的義理系統，每卦六爻，表示著一件事情的六項特徵，或一件事情發展的六個過程階段，李鏡池先生在《周易探源》中說：

> 每卦有一個中心思想，卦名是它的標題。4

屈萬里先生在〈周易卦爻辭成於周武王時考〉中也說：

> 卦名如文章之題目，卦辭爻辭，皆本此題目發揮。5

都說明了《周易》每卦中六爻所具有的小型的義理系統。

另外，綜合六十四卦三百八十四爻而論，則也形成一個大的義理系統，六十四卦，每卦有一個主題，分別標示著人生和自然世界中各種重要事件的發展理則，諸如人生、教育、法律、軍事、社會、政治、道德、家庭、生活等等的發展情形，六十四卦，因而形成了一個象徵自然界與人生界各種情況的義理系統。

這兩種大小不同的義理系統，顯示出在變動中的人事法則與宇宙法則，標示著宇宙人生發展的進程，可用以指導人生處世的方針。

以下，我們就從《周易》古經，先去推測每卦的爻辭之間，是否具有義理的系統存在，去檢查每卦六爻，它們彼此之間的相應關係。

我們的辦法是，先找出每卦六爻爻辭之中的關鍵詞，找出在六爻爻辭之中居於代表性、關鍵性的詞彙，所謂關鍵詞，是能表示該卦之主題，或為該卦之卦名，或為該卦之主要象徵辭，如〈乾卦〉中的「龍」，從而檢視它所貫串的六爻的義理系統，相應關係。這是一種由

4 李鏡池：《周易探源》，（北京，中華書局，二〇〇七年），頁二九一。

5 屈萬里：〈周易卦爻辭成於周武王時考〉，載屈著《書傭論學集》，（臺北，臺灣開明書局，一九六九年），頁十五。

易卦六爻已經存在的現象去上溯其製作原因的辦法。

經過檢視，得到如下的結果：

1.六爻具有相同關鍵詞者，計有十三卦。

〈比卦〉第八、〈履卦〉第十、〈臨卦〉第十九、〈觀卦〉第二十、〈賁卦〉第二十二、〈復卦〉第二十四、〈蹇卦〉第三十九、〈困卦〉第四十七、〈井卦〉第四十八、〈鼎卦〉第五十、〈震卦〉第五十一、〈艮卦〉第五十二、〈漸卦〉第五十三。

2.五爻具有相同關鍵詞者，計有十四卦。

〈蒙卦〉第四、〈需卦〉第五、〈師卦〉第七、〈謙卦〉第十五、〈蠱卦〉第十八、〈剝卦〉第二十三、〈頤卦〉第二十七、〈咸卦〉第三十一、〈遯卦〉第三十三、〈明夷卦〉第三十六、〈損卦〉第四十一、〈旅卦〉第五十六、〈兌卦〉第五十八、〈渙卦〉第五十九。

3.四爻具有相同關鍵詞者，計有十五卦。

〈乾卦〉第一、〈同人卦〉第十三、〈豫卦〉第十六、〈噬嗑卦〉第二十一、〈无妄卦〉第二十五、〈坎卦〉第二十九、〈恆卦〉第三十二、〈晉卦〉第三十五、〈家人卦〉第三十七、〈升卦〉第四十六、〈革卦〉第四十九、〈歸妹卦〉第五十四、〈豐卦〉第五十五、〈節卦〉第六十、〈小過卦〉第六十二。

4.三爻具有相同關鍵詞者，計有五卦。

〈訟卦〉第六、〈大壯卦〉第三十四、〈益卦〉第四十二、〈萃卦〉第四十五、〈巽卦〉第五十七。

5.二爻具有相同關鍵詞者，計有九卦。

〈屯卦〉第三、〈小畜卦〉第九、〈否卦〉第十二、〈隨卦〉第十七、〈大過卦〉第二十八、〈離卦〉第三十、〈睽卦〉第三十八、〈解卦〉第四十、〈夬卦〉第四十三。

6.六爻中關鍵詞皆不重複者，計有八卦。

〈坤卦〉第二、〈泰卦〉第十一、〈大有卦〉第十四、〈大畜卦〉第二十六、〈姤卦〉第四十四、〈中孚卦〉第六十一、〈既濟卦〉第六十三、〈未濟卦〉第六十四。

以下，即就《周易》古經中關鍵詞的檢視結果，每類各舉兩例，並加說明：

**1.六爻具有相同關鍵詞者，如〈艮卦〉：**

䷳艮，艮其背，不獲其身，行其庭，不見其人，无咎。

初六，艮其趾，无咎，利永貞。

六二，艮其腓，不拯其隨，其心不快。

九三，艮其限，列其夤，厲薰心。

六四，艮其身，无咎。

六五，艮其輔，言有序，悔亡。

上九，敦艮，吉。

〈艮卦〉，艮為山，義取安止，指示人之行為舉止，當自我節制，以求動靜得宜，適可而止，故此卦六爻，依序自下而上，以人之腳趾（趾）、腿肚（腓）、腰（限）、上身（身）、臉頰（輔）、心中篤實（敦）等人體部位，以為譬喻，以見人之舉止動作，皆應順時依序而動，動靜有序，以求內心篤實，而不陷於過咎。又如〈漸卦〉：

䷴漸，女歸吉，利貞。

初六，鴻漸于干，小子厲，有言，无咎。

六二，鴻漸于磐，飲食衎衎，吉。

九三，鴻漸于陸，夫征不復，婦孕不育，凶，利禦寇。

六四，鴻漸于木，或得其桷，无咎。

九五，鴻漸于陵，婦三歲不孕，終莫之勝，吉。

上九，鴻漸于陸（逵），其羽可用為儀，吉。

此卦艮下巽上，艮為山，巽為木，木在山上，逐漸成長，故有漸進之義，此卦要旨，義取事物發展，當循序漸進，順乎自然，又象徵君子成德居業，也當持之以恆，以漸進而抵於成，故此卦六爻，皆以鴻雁為喻，以鴻雁飛行，行列有序，而或來或往，又不失時序，故六爻由

「干」（岸），而「磐」，而「陸」，而「木」，而「陵」，而「逵」，象徵由下而升，逐漸至高之次第。

### 2. 五爻具有相同關鍵詞者，如〈師卦〉云：

䷆師，貞，丈人吉，无咎。
初六，師出以律，否臧，凶。
九二，在師中，吉，无咎，王三錫命。
六三，師或輿師，凶。
六四，師左次，无咎。
六五，田有禽，利執言，无咎。長子帥師，弟子輿尸，貞凶。
上六，大君有命，開國承家，小人勿用。

〈師卦〉坎下坤上，坎為水，坤為地，此卦地中有水，象徵為政者能容民富眾。〈師卦〉六爻，象徵行軍用師之六種要素，如初爻言用兵行軍，必以紀律嚴明為主。次爻言陽爻為一軍之主，當持正不偏，乃可無所咎責。三爻戒貪功冒進，否則將致凶險。四爻言行軍宜知難而退，待時而動。五爻言軍中主帥，宜以老成將帥為之。六爻言戰勝回國，論功行賞，但宜賞以爵祿，不宜賜以田畝，免使坐大。所言六項要點，皆用師行軍之道。又如〈剝卦〉云：

䷖剝，不利有攸往。
初六，剝牀以足，蔑貞，凶。
六二，剝牀以辯，蔑貞，凶。
六三，剝之无咎。
六四，剝牀以膚。
六五，貫魚，以宮人寵，无不利。
上九，碩果不食，君子得輿，小人剝廬。

〈剝卦〉下坤上艮，一陽孤居五陰之上，義為剝落，指示陰盛陽衰，小人得勢，君子困頓之際，宜當守正防凶，以待來復之機會。〈剝卦〉卦形似牀，故此卦即以牀為象，而以剝落之象，也自下至上，逐漸腐蝕剝落，而以上爻一陽獨存，也為未來陽剛之復興，埋藏基礎，故此卦六爻，依次言「剝牀以足」、「剝牀以辨（牀身與牀足結合之處）」、「剝之」、「剝牀以膚」，以知剝蝕之象，至此已極，而以「貫魚」形容五陰之勢，已達極點，而後以「碩果不食」譬喻陽剛之氣，剝蝕至此，已有復興之形勢存在。

### 3. 四爻具有相同關鍵詞者，如〈乾卦〉云：

䷀乾，元、亨、利、貞。
初九，潛龍勿用。
九二，見龍在田。
九三，君子終日乾乾，夕惕若，厲无咎。
九四，或躍在淵，无咎。
九五，飛龍在天，利見大人。
上九，亢龍有悔。
用九，見羣龍无首。

〈乾卦〉六爻，其中四爻，皆以龍為象徵，象徵宇宙中具有剛強變化之能力，其他二爻，雖不具備「龍」字，九三爻以「君子」譬喻龍之精神，九四爻「或躍在淵」，也實際指陳「龍」之動作，故〈乾卦〉借用「龍」之陽剛之象，以彰明天道以及人事中所寓含之各種變化，勸誡世人把握時機，趨吉避凶，成就事業。又如〈家人卦〉云：

☲☴家人，利女貞。
初九，閑有家，悔亡。
九二，无攸遂，在中饋，貞吉。
九三，家人嗃嗃，悔厲，吉，婦子嘻嘻，終吝。
九四，富家，大吉。
九五，王假有家，勿恤，吉。
上九，有孚，威如，終吉。

〈家人卦〉離下巽上，離為火，巽為風，風由火中而出，象徵外在事功，也必由內在德業而出，此卦初爻，指家庭初組，意志未變之時，即應閑立法度，免使人情流放。次爻指家中有賢德主婦，主持家務，必能得吉。三爻指治家之道，寧取之嚴格，勿使之放縱。四爻象徵家中富庶，乃得大吉。五爻指王者治國，也當以齊家為基礎。六爻強調治家以言而有信為成功之道。

**4.三爻具有相同關鍵詞者，如〈訟卦〉云：**

☰☵訟，有孚窒，惕，中吉，終凶。利見大人，不利涉大川。

初六，不永所事，小有言，終吉。

九二，不克訟，歸而逋，其邑人三百戶，无眚。

六三，食舊德，貞厲，終吉，或從王事，无成。

九四，不克訟，復即命，渝，安貞吉。

九五，訟，元吉。

上九，或錫之鞶帶，終朝三褫之。

〈訟卦〉下坎上乾，坎為水，乾為天，天上行，水下行，象徵誠信阻隔，不能互通，故引而爭訟，設有大人見之，其訟可解，否則，如入大川，倍增凶險。此卦六爻，初爻言訟事如退而爭之不久，可望獲得吉利。次爻言爭訟不久，能畏懼形勢不利，逃避小邑，也能免於災禍。三爻言安享俸祿，守正不失，乃可安吉，但輔佐君王之事，乃無所成。四爻言爭訟不已，如能復歸正理，則可免於失敗。五爻言訟得其正，故可大吉。六爻言訟而能勝，得獲君王榮賜華服，然而得之雖速，奪之也速。又如〈大壯卦〉云：

䷡大壯，利貞。

初九，壯于趾，征凶，有孚。

九二，貞吉。

九三，小人用壯，君子用罔，貞厲。羝羊觸藩，羸其角。

九四，貞吉，悔亡，藩決不羸，壯于大輿之輹。

九五，喪羊于易，无悔。

上六，羝羊觸藩，不能退，不能遂，无攸利，艱則吉。

〈大壯卦〉下乾上震，乾為剛健，上震為動，上下卦皆屬壯盛之勢，故為大壯。初爻在下而壯，趾為在下之象。二爻以陽爻居中位，故能獲吉。三爻指小人濫用強力，而君子則否，君子能守貞正，故吉，小人妄進，則必如公羊以角牴觸藩籬，陷其角而入於困境。四爻以守正而吉，雖前有藩籬而不受其困，而前進之勢如大車之行，莫之能禦。五爻言強勢已過，只能用和易之道，使羣陽雖壯，已無所用。六爻言處上震之極，盲目亢進，如羊觸藩籬，進退兩難，唯有艱難守候，或可轉而獲吉。

**5.二爻具有相同關鍵詞者，如〈大過卦〉云：**

䷛大過，棟橈，利有攸往，亨。

初六，藉用白茅，无咎。

九二，枯楊生稊，老夫得其女妻，无不利。
九三，棟橈，凶。
九四，棟隆，吉，有它，吝。
九五，枯楊生華，老婦得其士夫，无咎无譽。
上六，過涉滅頂，凶，无咎。

〈大過卦〉下巽上兌，四陽在內，二陰在外，陽盛陰柔，形如曲木，義為大有所過，指事物中陽剛過於強盛，陰柔過於衰弱之際，理應加以調和，使剛柔互濟，以獲吉祥。初爻言祭祀時以白茅草墊於禮器之下，以示虔敬，可以無咎。二爻指九二陽剛過盛，如枯楊樹猶生嫩芽，又如老夫而得女妻，得以調和陰陽，顯現生氣。三爻如過強之陽，不知補救，將如棟樑之撓折，其凶可知。四爻言過盛之陽剛，已如棟樑兩端隆起，可獲吉祥，但如有其它變化，則將致疚吝。五爻言強陽與弱陰調和，如枯槁之楊樹重新開放花朵，但老婦雖得壯夫，也非值得稱譽之事。六爻言陰柔過極，超越常理，也將如涉險渡河，恐有滅頂之虞。又如〈睽卦〉云：

䷥睽，小事吉。

初九，悔亡，喪馬，勿逐自復，見惡人，无咎。

九二，遇主于巷，无咎。

六三，見輿曳，其牛掣，其人天且劓，无初有終。

九四，睽孤，遇元夫，交孚，厲无咎。

六五，悔亡，厥宗噬膚，往何咎。

上九，睽孤，見豕負塗，載鬼一車，先張之弧，後說之弧，匪寇，婚媾，往遇雨則吉。

〈睽卦〉下兌為澤，上離為火，火炎上，澤潤下，似二女同居其志乖違，故唯小事可吉。初爻象徵雖喪失馬匹，而能俟其自返，又似惡人來訪，而己也會見，可免禍害。二爻言居睽之時，乖戾不合，唯於委曲之中相求會遇，乃得無咎。三爻象徵大車被曳難行，拖車之牛又被牽制，而己身又復有黥額割鼻之刑，將由乖違而漸至相合。四爻象徵孤獨乖違之時，得與同德之人相遇，乃能誠信相待，雖危而無禍害。五爻象徵以陰柔之才，而與九二陽剛之道相應，有似柔順之膚易於咬噬，故前途將有喜慶。六爻象徵乖違至極，無所不疑，似乎見到滿身污泥之豬，又似乎見到載滿鬼怪之大車，正在急馳，驚懼緊張之下，先持弓箭欲射，乃至看清楚前來者並非強寇，而是欲求婚配者，至此，乃如久旱得遇甘霖一般，轉為吉祥之境。

**6.六爻皆無相同關鍵詞者，如〈大有卦〉云：**

䷍大有，元亨。

初九，无交害，匪咎，艱則无咎。

九二，大車以載，有攸往，无咎。

九三，公用享于天子，小人弗克。

九四，匪其彭，无咎。

六五，厥孚交如，威如，吉。

上九，自天祐之，吉无不利。

〈大有卦〉下卦為乾，上卦為離，乾為天，離為日，日在天上，照臨下土，有萬物生長，欣欣向榮之象，故曰大有。初爻指示與人交往而不涉於利害，則禍咎無緣而至，且能知凡事開創之艱難者，則能自惕而無咎害。二爻陽剛居下卦之中，為五爻所倚重，故所獲必多，需大車始能載之。三爻以陽剛而居下卦之上，有公侯之位，能受天子之宴饗。四爻以陽爻而居六五之下，無盛氣凌人之象，故能无咎。五爻以陰柔居上，能以誠信和同於人，又能確立威信，故得吉祥。六爻以陽剛居五爻陰柔之上，如能降志以應，自當安享福慶。又如〈大畜卦〉云：

䷙大畜，利貞，不家食，吉，利涉大川。

初九，有厲，利己。

九二，輿說輹。

九三，良馬逐，利艱貞，曰閑輿衛，利有攸往。

六四，童牛之牿，元吉。

六五，豶豕之牙，吉。

上九，何天之衢，亨。

〈大畜卦〉下卦為乾，上卦為艮，乾為天，艮為山，天在山中，故此卦象徵大為積蓄，使賢人集聚朝廷，不徒在家而食，乃可禎吉。初爻喻輕進將有危險，故以蓄止為有利。次爻喻如車輿脫落車輻，尤宜暫不貿然前進。三爻喻蓄德充沛，如有良馬可乘以奔逐前進，唯仍需嫻習熟練駕馭偵防技能，方能有所獲利。四爻喻輕進為戒，故宜如小牛加以牿械，以免輕進傷人，乃能得吉。五爻言不宜躁進，故須似閹割之公豬，其牙乃可不致傷人。六爻象徵通天之大路，必能通達四方，暢行無礙。

從以上對於六類不同的《易》卦，所作的分析，我們可以得到一些看法：

1.《周易》古經六十四卦，每卦之中，其具備相同關鍵詞越多的卦，其六爻相互之間爻辭的聯繫，愈加清楚，其六爻相互之間的意義關係，也愈加密切。例如〈漸卦〉，以鴻雁之飛行，由低至高，次第井然。又如〈剝卦〉，以牀取喻，剝蝕之象，也自下而上升。其他各卦也多數如此。

2.反之，《周易》古經六十四卦，每卦之中，其具備相同關鍵詞越少的卦，則其六爻相互之間爻辭的聯繫，也愈加艱澀，其六爻相互之間的意義關係，也愈加疏遠，例如〈大過卦〉，其「枯楊生稊」、「棟橈」、「過涉滅頂」之間的意義關係，也較晦澀。又如〈睽卦〉，其「遇主於巷」、「睽孤」、「見豕負塗」、「載鬼一車」之間的意義關係，也比較晦澀，其他各卦也多數如此。

3.根據分析所得，在《周易》古經六十四卦之中，其六爻具有相同關鍵詞者有十三卦，其五爻具有相同關鍵詞者有十四卦，其四爻具有相同關鍵詞者有十五卦，此三類卦，合計為四十二卦，在《周易》古經六十四卦之中，已經佔到之百分之六十六的多數。如果再加上其三爻具有相同關鍵者五卦，則已經佔到四十七卦，在《周易》古經六十四卦之中，已經多至百分之七十二，是《周易》古經每卦中六爻之間的意義聯繫，已經擁有絕對多數的可能性存在。

## 四、結語

由以上的分析，可以推測得知，《周易》古經六十四卦每卦六爻之間，曾經通過古人審慎地選擇爻辭，再加以精心地編排，而顯現其相互的關係，意義的聯繫，而在六十四卦之間，也推演出卦與卦之間彼此的關係，特殊的理則，然後組成了一套在自然界與人生界中，六十四種大系統，三百八十四種小系統，用以引導人生，步向安和樂利的生活境界。

從以上的這些情形來觀察，則對於前述《周易》古經及卦爻辭之間，是否具有義理系統存在的問題，以朱伯崑與屈萬里二位先生作為代表的不同意見，仍然要以屈先生的看法，較為接近事實的真相。

# 肆、論《春秋》弒君兼書「及其大夫」之義例

## 一、引言

司馬遷《史記・太史公自序》云：「《春秋》之中，弒君三十六，亡國五十二，諸侯奔走，不得保其社稷者不可勝數。」[1]已經指出，春秋二百四十二年之中，有三十六位國君被臣下所弒，[2]在《春秋》所記錄的弒君行為中，一般的記載，都只記錄弒君者及被弒國君之

1　司馬遷：《史記》卷一百三十，（臺北，鼎文書局，一九八二年），頁三二九七。

2　《春秋》中弒君之數目，各家說多不同，可參考王叔岷教授《史記斠證》中〈太史公自序斠證〉，（中央研究院歷史語言研究所專刊之七十八），頁三四七九。

名，例如隱公四年記：「戊申，衛州吁弒其君完。」宣公十年記：「癸巳，陳夏徵舒弒其君平國。」但是，在《春秋》之中，記錄弒君之時，同時又用「及其大夫」記錄其大臣被殺者，卻有三次，分別是：

桓公二年記云：「春，王正月戊申，宋督弒其君與夷，及其大夫孔父。」

莊公十二年記云：「秋，八月甲午，宋萬弒其君捷（《公羊傳》作接），及其大夫仇牧。」

僖公十年記云：「晉里克弒其君卓子，及其大夫荀息。」

對於《春秋》之中，因弒君而兼書「及其大夫」的情形，歷代的學者，卻有著不同的看法。本文試就這些不同的看法，作一比較分析，以尋求《春秋》本身的義蘊。

## 二、分　析

以下，即試就《春秋》弒君而書「及其大夫」之三事，分別考察如下：

## (一)論宋督弒君及其大夫孔父事

《春秋》桓公二年記云：

春，王正月，戊申，宋督弒其君與夷，及其大夫孔父。

《左傳》桓公元年記云：

春，宋督攻孔氏，殺孔父，而取其妻，公怒，督懼，遂弒殤公，君子以督為有無君之心，而後動於惡，故先書弒其君。……宋殤公立，十年十一戰，民不堪命，孔父嘉為司馬，督為太宰，故因民之不堪命，先宣言曰：「司馬則然。」已殺孔父而弒殤公，召莊公于鄭而立之，以親鄭，以郜大鼎賂公。

杜預《左傳注》云：

孔父嘉，孔子六世祖。稱督以弒，罪在督也。孔父稱名者，內不能治其閨門，外取怨於民，身死而禍及其君。

孔穎達《左傳注疏》云：

杜既以孔父為名，因論為罪之狀，內不能治其閨門，使妻行於路，令華督見之，外取怨於民，使君數攻戰而國人恨之，身死而禍及其君，故書名以罪孔父也。《釋例》曰：「經書宋督弒其君與夷，及其大夫孔父。仲尼邱明，唯以先後見義，無善孔父之文，孔父為國政則取怨於民，治其家則無閨閫之教，身先見殺，禍遂及君，既無所善。仇牧不警而遇賊，又死無忠事。晉之荀息，其欲復言，本無大節，先儒皆隨加善例，又為不安。經書臣蒙君弒者有三，直是弒死相及，即實為文，仲尼以督為有無君之心，改書一事而已，無他例也。」[3]

華父督弒君之事，杜預《左傳注》怪罪孔父不能自修其身，自律其家，內外皆有罪咎，自取其禍，反而身死而連累其君，孔穎達遂沿襲杜預之說，以為《春秋》書孔父之名，乃是加罪於孔父。孔穎達又引杜預《春秋釋例》「弒君」之例，以為孔子認為華父督只是有無君之心，只是不尊重國君而已，於是才直書其事，「無他例也」，並沒有特別的貶責華父督之意義在其中。

另外，《公羊傳》桓公二年記云：

「及」者何？累也，弒君多矣，舍此無累者乎？曰，有。仇牧、荀息，皆累也。舍仇牧、荀息，無累者乎？曰，有。則此何以書？賢也。何賢乎孔父？孔父可謂義形於色矣。其義形於色奈何？督將弒殤公，孔父生而存，則殤公不可得而弒也，故於是先攻孔父之家。殤公知孔父死，己必死，趨而救之，皆死焉。孔父正色而立於朝，則人莫敢過而致難於其君者，孔父可謂義形於色矣。[4]

《公羊傳》以為，《春秋》記國君遭弒而特言「及」，是指大夫受到國君遭弒的連累，並且指出，與孔父遭遇相同者，還有仇牧和荀息二人，至於在此文中特別推崇孔父之賢德，主要是孔父義正辭嚴，顯現在容顏之上，以致遭到殺害，因此，才對孔父特別加以推崇尊敬。

3 孔穎達：《春秋左傳注疏》卷五，（臺北，藝文印書館，一九九三年），頁八十九—九十。
4 徐彥：《春秋公羊傳注疏》卷四，（臺北，藝文印書館，一九九三年），頁四十七。

另外，《穀梁傳》桓公二年記云：

孔父先死，其曰「及」，何也？書尊及卑，《春秋》之義也。孔父之先死，何也？督欲弒君而恐不立，於是乎先殺孔父，孔父，閑也。何以知其先殺孔父也？曰，子既死，父不忍稱其名，臣既死，君不忍稱其名。以是知君之累之也。孔、氏，父、字，謚也。或曰，其不稱名，蓋為祖諱也。孔子，故宋也。5

《穀梁傳》以為，孔父閑衛國君，華父督欲弒國君，乃先殺孔父，孔父先國君而死，臣既死，國君不忍心稱其名，但孔父實因捍衛國君而死，故知孔父乃受到國君的連累而犧牲。《穀梁傳》又以為，孔是氏，父是字，也是謚號。因孔父有死難之動，故其君以字為謚。有人也說，《春秋》不稱孔父之名，是孔子為自己的祖先隱諱，因為，孔子的祖籍是宋國。三傳之說，以《公羊傳》之說，發揮經義，最為貼近《春秋》之要旨，而《穀梁傳》之說，也足以輔翼經旨，《左傳》之說，以記事為主，而杜預之說，最為歪曲經意，而孔穎達之注疏，也從而附和，又增引杜預《春秋釋例》，以曲解《春秋》意旨。

清人焦循《春秋左傳補疏》云：

循按《公羊傳》於孔父、仇牧、荀息三人，互相比例，以稱其賢，曰：「孔父可謂義形於色矣……。」《穀梁傳》云：「督欲弒君而恐不立，於是乎先殺孔父，孔父，閑也。」閑謂捍禦。兩《傳》深得《春秋》書死難之義。乃《左氏》則謂「華父督見孔父之妻於路，目逆而送之，曰，美而艷」，因而「攻孔氏，殺孔父，而取其妻，公怒，督懼，遂弒殤公」，又謂「宋殤公立，十年十一戰，民不堪命，孔父嘉為司馬，督為太宰，故因民之不堪命，先宣言曰，司馬則然」。此杜預所據以定孔父之罪案也。乃「司馬則然」，《左氏》明指為華督之言，督誣孔父之言，而可據乎？……夫司馬懿、司馬師，華督、宋萬也，曹爽、何晏、王凌、李豐、張緝等，孔父、仇牧也……爽、晏等一日不除，司馬氏一日不能得志，所謂閑也。6

焦循於宋督弒君，累及孔父之事，力主《公羊傳》稱頌孔父之賢，為契合經義，於《穀梁傳》稱孔父捍禦殤公，也予以肯定，唯於《左傳》稱孔父遭殺，殤公遭弒，乃因宋督悅孔父

5 楊士勛：《春秋穀梁傳注疏》卷三，（臺北，藝文印書館，一九九三年），頁二十九。

6 焦循：《春秋左傳補疏》，見《皇清經解》卷一一五九，（臺北，復興書局，一九六四年），頁一二三二二。

之妻之美而起，則予以駁斥，又駁斥杜預之注《左傳》，有意曲解《左傳》之文，以論定孔父之罪。故以為宋萬之弒君，猶如司馬懿父子之弒君，孔父、仇牧之見殺，猶如曹爽、何晏、王淩、李豐、張緝等人之被殺，其事相同，其志也相同，故焦循於《左傳》之說，不以為然，於杜預之注，也深加譴責。焦循之言，論三《傳》之得失，可謂恰當。

## (二) 論宋萬弒君及其大夫仇牧事

《春秋》莊公十二年記云：

> 秋，八月，甲午，宋萬弒其君捷（《公羊傳》作接），及其大夫仇牧。

考春秋魯莊公十年，宋國與齊國聯合，進攻魯國，宋軍為魯國所敗，莊公以箭射宋大夫南宮長萬，長萬為莊公車右顓孫所擒，宋國請求魯國釋放長萬，回國之後，宋閔公譏諷長萬，說：「以前我尊敬你，現在你成了魯國的囚犯，我不再尊敬你了。」南宮長萬因此懷恨在心。

《左傳》莊公十二年記云：

十二年秋，宋萬弒閔公于蒙澤，遇仇牧於門，批而殺之，遇太宰督于東宮之西，又殺之。立子游，羣公子奔蕭，公子御說奔亳。

杜預《左傳注》云：

仇牧稱名，不警而遇賊，無善事可褒。7

杜預以為仇自身不加警惕，故為南宮萬所殺害，並無善行可加褒揚。故孔穎達《左傳注疏》，也引杜預《春秋釋例》，認為此事，並無義例可言。

《公羊傳》莊公十二年記云：

及者何？累也。弒君多矣，舍此無累者乎？孔父、荀息，皆累也。舍孔父、荀息，無累者乎？曰，有。有則何以書？賢也。何賢乎仇牧？仇牧可謂不畏彊禦矣。其不畏彊禦奈何？萬嘗與莊公戰，獲乎莊公，莊公歸，散舍諸宮中，數月，然後歸之，歸反

7 孔穎達：《春秋左傳注疏》卷九，（臺北，藝文印書館，一九九三年），頁一五四。

為大夫於宋。與閔公博，婦人皆在側，萬曰：「甚矣，魯侯之淑，魯侯之美也！天下諸侯宜為君者，唯魯侯矣。」閔公矜此婦人，妒其言，顧曰：「此虜也，爾虜焉故，魯侯之美惡乎至？」萬怒，搏閔公，絕其脰。仇牧聞君弒，趨而至，遇之于門，手劍而叱之，萬臂摋仇牧，碎其首，齒著乎門闔。仇牧可謂不畏彊禦矣。8

《公羊傳》詳述魯莊公虜獲宋萬，又歸還宋萬，宋萬在宮中，盛言魯莊公之賢明，宋殤公以言語諷刺宋萬為魯國所俘，為魯國釋放歸國，故力言魯侯之賢明，因此激怒宋萬，弒殺殤公，而仇牧既聞殤公被弒，乃不避強梁，仗劍力叱宋萬，亦為宋萬所殺。何休《公羊解詁》云：

猶乳犬攫虎，伏雞搏狸，精誠之至也。

將仇牧之不畏強梁，比之於雞犬保護幼子，不畏猛虎狐狸一般，盛加推崇。

《穀梁傳》莊公十二年記云：

宋萬，宋之卑者也，卑者以國氏，及其大夫仇牧，以尊及卑也，仇牧，閑也。

《范甯注》云：

仇牧扞衛其君，故見殺也。[9]

《穀梁傳》及《范甯注》皆以為仇牧之死，乃由於捍衛其君，而至於此。三《傳》之說，仍以《公羊傳》「仇牧可謂不畏彊禦」及《穀梁傳》「仇牧，閑也」之評論，最合經義。

清人焦循《春秋左傳補疏》云：

《公羊傳》云：「此何以書？賢也，何賢乎仇牧？仇牧可謂不畏彊禦矣。」……《左氏》言宋督弒閔公於蒙澤，遇仇牧於門，批而殺之，雖不及《公羊傳》之詳，亦未嘗有貶辭。而杜預以稱名之故，而謂其「無善事可褒」，又譏其「不警而遇賊」。……觀其趨而至，手劍而叱，千古之下，英氣猶存，其不勝而死，即李豐恨力不能禽滅

8 徐彥：《春秋公羊傳注疏》卷七，（臺北，藝文印書館，一九九三年），頁九十一。

9 楊士勛：《春秋穀梁傳注疏》卷五，（臺北，藝文印書館，一九九三年），頁五十二。

也。將以不能執賊，遂避匿觀望不出乎？……杜氏每以名字為褒貶，曲為之說，其病甚大。[10]

焦循盛稱仇牧之賢，以為仇牧挺身叱賊，千載之下，英氣猶存，而於杜預之說，最致不滿。

## (三) 論里克弒君及其大夫荀息事

《春秋》僖公十年記云：

晉里克弒其君卓子，及其大夫荀息。

《左傳》僖公九年記云：

初，獻公使荀息傅奚齊，公疾，召之，曰：「以是藐諸孤辱在大夫，其若之何？」稽首而對曰：「臣竭其股肱之力，加之以忠貞，其濟，君之靈也，不濟，則以死繼之。」……冬十月，里克殺奚齊于次，書曰「殺其君之子」，未葬也。荀息將死之，人曰：「不如立卓子而輔之。」荀息立公子卓以葬。十一月，里克殺公子卓于朝，荀息死之。君子曰：「《詩》所謂『白圭之玷，尚可磨也，斯言之玷，不可為也。』荀息有焉。」

杜預《左傳注》云：

荀息稱名者，雖欲復言，本無遠謀，從君於昏。

孔穎達《左傳注疏》云：

文七年，宋人殺其大夫，《傳》曰：「不稱名，衆也，且言非其罪也。」死者不稱名，非其罪，故知稱名者，皆有罪也。荀息稱名者，不知奚齊卓子之不可立，又不能誅里克以存君，是其雖欲復言，本無遠謀也。襄十九年，齊殺其大夫高厚，《傳》稱從君於昏。獻公惑於驪姬，殺適立庶，荀息知其事而為之傅奚齊，是其從君於昏

10 焦循：《春秋左傳補疏》，見《皇清經解》卷一一五九，（臺北，復興書局，一九六四年），頁一二三二八。

也。11

杜預稱《左傳》於荀息稱名，主要以為荀息「本無遠謀，從君於昏」，孔穎達注疏，更引述晉獻公惑於驪姬，而荀息為傅奚齊，以證荀息「從君於昏」之不誣。且進而引述《左傳》，以為死者不稱名，乃非其罪，而於荀息稱名，以證其為有罪也。

《公羊傳》僖公十年記云：

晉里克弒其君卓子，及其大夫荀息，及者何？累也。弒君多矣，舍此無累者乎？曰，有，孔父、仇牧皆累也。舍孔父、仇牧，無累者乎？曰，有。有，則此何以書？賢也。何賢乎荀息？荀息可謂不食其言矣。其不食其言奈何？奚齊、卓子者，驪姬之子也，荀息傅焉，驪姬者國色也，獻公愛之甚，欲立其子，於是殺世子申生，申生者里克傳之，獻公病，將死，謂荀息曰：「士何如則可謂之信矣。」荀息對曰：「使死者反生，生者不愧乎其言，則可謂信矣。」獻公死，奚齊立，里克謂荀息曰：「君殺正而立不正，廢長而立幼，如之何？願與子慮之。」荀息曰：「君嘗訊臣矣，臣對曰，使死者反生，生者不愧乎其言，則可謂信矣。」里克知其不可與謀，退弒奚齊，荀息立卓子，里克弒卓子，荀息死之，荀息可謂不食其言矣。

何休《解詁》云：

起時莫不背死鄉生，去敗與成，荀息一受君命，終生死之，故言「及」，與孔父同義，不日者，不正遇禍，終始惡明，故略之。[12]

《公羊傳》強調荀息堅守己信，一受君命，終身以之，以至於捨身而死，不食其言，故《公羊傳》以荀息比之孔父仇牧，何休《解詁》，亦強調《春秋》弒君「言及」，所以「賢乎荀息」也。

《穀梁傳》僖公十年記云：

晉里克弒其君卓，及其大夫荀息，以尊及卑也，荀息閑也。[13]

11 孔穎達：《春秋左傳注疏》卷十三，（臺北，藝文印書館，一九九三年），頁二一八—二二〇。
12 徐彥：《春秋公羊傳注疏》卷十一，（臺北，藝文印書館，一九九三年），頁一三五。
13 楊士勛：《春秋穀梁傳注疏》卷八，（臺北，藝文印書館，一九九三年），頁八十一。

桓公二年，宋督欲弒殤公，先殺孔父，《穀梁傳》謂「孔父，閑也」，義指孔父捍衛殤公，宋督欲弒國君，先殺孔父，今里克欲弒卓子，先殺荀息，《穀梁傳》也謂「荀息，閑也」，也指荀息捍衛國君之心，無論先後，其義一也，且荀息之死，乃由尊者國君之故，而連累臣下荀息也。

清人焦循《春秋左傳補疏》云：

> 晉假途伐虢，全用荀息之謀，息非無遠謀者也，《左氏》稱公命息傅奚齊，息言竭股肱之力，加之以忠貞，三怨雖作，不食其言。引〈白圭〉之詩以美之，無譏辭也。杜以為「從君於昏」，令千古忠臣義士，扼腕不申矣。……夫《經》書卓為其君，則不以其不可立而不以為君也。既正其名為君，則弒之者為賊，而死之者為忠，荀息之不能殺里克，猶毋邱儉之不能殺司馬師也。[14]

焦循以為，卓子既為國君，則弒君者必稱之為逆賊，而死難者亦必然稱之為忠臣，方合乎經義而符於情理，《左傳》於荀息並無譏議，而杜預乃斷之為「從君於昏」，於晉君及荀息，並加譏議，豈能合於經旨。

以上，乃分論《春秋》中記弒君而兼書「及其大夫」之三事，於三《傳》及注疏之相關係者，也一併加以分析討論。

# 三、結　語

《春秋》中弒君而兼書「及其大夫」，共有三事，經過分析，約可得到一些觀點，作為結語。

## (一)關於《春秋》之義例方面

《公羊傳》於「及其大夫孔父」，則稱讚其「賢也」，「孔父正色而立於朝，則人莫敢過而致難於其君者」，「孔父可謂義形於色矣」。於「及其大夫仇牧」，則稱讚其「賢也」，「聞君弒」，「手劍而叱之」，「仇牧可謂不畏彊禦矣」。於「及其大夫荀息」，則稱讚其「賢也」，「荀息可謂不食其言矣」。

《穀梁傳》於「及其大夫孔父」，以為《春秋》言「及」，乃「書尊及卑，《春秋》之

14 焦循：《春秋左傳補疏》，見《皇清經解》卷一一五九，（臺北，復興書局，一九六四年），頁一二三三一。

義也」，指《春秋》君弒書「及」，乃重要之義旨。於「及其大夫仇牧」，指《春秋》書法，「以尊及卑」，乃因「仇牧，閑也」，指仇牧捍衛國君，以致被殺。於「及其大夫荀息」，指《春秋》書法，「以尊及卑」，乃因「荀息，閑也」，指荀息捍衛國君，以致被殺。

《春秋》中記國君被弒，而兼記「及其大夫」，雖僅有三次，而《春秋》書法之用心於此，自有要旨存在，列為《春秋》書法之「義例」，應該不誤。

皮錫瑞《經學通論》卷四〈論春秋一字褒貶之義，宅心恕而立法嚴〉云：

《春秋》大義，在討亂賊，則《春秋》必褒忠義，《經》曰：「宋督弒其君與夷及其大夫孔父」、「宋萬弒其君捷及其大夫仇牧」，「晉里克弒其君卓及其大夫荀息」，三大夫皆書「及」，褒其皆殉君難。《公羊傳》曰：「何賢乎孔父，孔父可謂義形於色矣」，「何賢乎仇牧，仇牧可謂不畏彊禦矣」，「何賢乎荀息，荀息可謂不食其言矣」，《春秋》同一書法，《公羊》同一褒辭，足以發明大義。……聖人之作《春秋》，其善善也長，其惡惡也短，有一字之褒貶，三大夫之書「及」，所謂一字之褒，弒君之臣，一概書「弒」，所謂一字之貶，聖人以為其人甘於殉君，即是大忠，雖有小過，可不必究。其人忍於弒君，即是大惡，雖有小功，亦不足道，蓋宅心甚

> 恕，而立法甚嚴也。[15]

由皮錫瑞所言觀之，則《春秋》弒君兼書「及其大夫」之義例，可以確立，而無所疑矣。

## (二)關於杜預及孔穎達之解釋方面

《左傳》對於《春秋》三次弒君而兼書「及其大夫」方面，基本上，只是記述其事件的經過，對於《春秋》所書，也未指出其為義例所在。但是，杜預的《左傳注》及孔穎達的《左傳注疏》，卻對於《春秋》弒君而兼書「及其大夫」，有著與《公羊傳》與《穀梁傳》極不相同的看法，也不承認「弒君而兼書及其大夫」為《春秋》之義例。

對於孔父，杜預稱其「內不能治其閨門，外取怨於民，身死而禍及其君」，孔穎達稱「孔父行無可善，書名，罪之也」，又引杜預《春秋釋例》云：「仲尼以督為有無君之心，改書一事而已，無他例也」。

對於仇牧，杜預稱其「不警而遇賊，無善事可褒」，孔穎達也引杜預《春秋釋例》，以

15 皮錫瑞：《經學通論》卷四，（臺北，臺灣商務印書館，一九六五年），頁二十七。

為「仲尼本不以為義例，則丘明也無異文也」。

對於荀息，杜預稱其「本無遠謀，從君於昏」，孔穎達以為，「死者不稱名，非其罪，故知稱名者，皆有罪也」，以為於荀息稱名，其實有罪。

然則杜預與孔穎達之見解，何以與《公羊傳》及《穀梁傳》如此相異，何以一致歸過於孔父、仇牧、荀息三人？

焦循《春秋左傳補疏・序》云：

余幼年讀《春秋》，好《左氏傳》，久而疑焉。及閱杜預《集解》暨所為《釋例》，疑滋甚矣。孔子因邪說暴行而懼，因懼而作《春秋》，《春秋》成，而亂臣賊子懼，《春秋》者，所以誅亂賊也，而《左氏》則云：「稱君，君無道，稱臣，臣之罪。」杜預者且揚其辭而暢衍之，與孟子之說大悖，《春秋》之義遂不明。已而閱《三國・魏志・杜畿・注》，乃知預為司馬懿女婿。……預以父得罪於懿，廢棄不用，蓋熱中久矣，（司馬）昭有篡弒之心，收羅才士，遂以妹妻預，而使參府事，預出意外，於是忘父怨，而竭忠於司馬氏。既見成濟之事，將有以為昭飾，且有以為懿、師飾，即用以為己飾，此《左氏春秋集解》所以作也。夫懿、師、昭，亂臣賊子也。賈充、成濟，鄭莊之祝聃、祭足，而趙盾之趙穿也。王凌、毋邱儉、李豐、王經，則仇牧、孔父嘉之倫也。……孔父嘉之「義形於色」，仇牧之「不畏彊禦」，而預皆鍛鍊深文，以為無善可褒……而《左氏傳》、杜氏《集解》，適為之便，故其說大行於晉、宋、齊、梁、陳之世，唐高祖之於隋，亦踵魏晉餘習，故用預說作《正義》，而賈、服諸家，由是而廢。吾於《左氏》之說，信其為六國時人為田齊、三晉等飾也。《左氏》為田齊、三晉等飾，與杜預為司馬氏飾，前後一轍，而孔子作《春秋》之義乖矣。……余深怪夫預之忘父怨而事仇，悖聖經以欺世，摘其說之大紕繆者，稍疏出之，質諸深於《春秋》者，俾天下後世共知預為司馬氏之私人，杜恕之不肖子，而我孔子作《春秋》之蟊賊也。16

焦循此〈序〉，言杜預集解《春秋》與《左傳》，其有違背《春秋》之精神處，實緣於為司馬氏篡魏而宛轉出脫，按之杜預生平，其言之頗為深刻而有依據，信不誣矣。故杜預於《春秋》弒君而兼書「及其大夫」，深文周納，一一加以醜化，且不以為乃係《春秋》之義例。

陳澧《東塾讀書記》卷十云：

16 焦循：《春秋左傳補疏·序》，見《皇清經解》卷一一五九，（臺北，復興書局，一九六四年），頁一二三一九。

灃案《孔疏》云：「《公羊》、《穀梁》及先儒，皆以善孔父而書字，知不然者，孔父之死，《傳》無善事，故杜君積累其惡，以書名責之，劉君不達此旨，妄為規過，非也。」此《疏》辭縷數百言，尤所謂鍛鍊深文，不知孔穎達何以惡其先世孔父，至於如此。17

皮錫瑞《經學通論》卷四〈論春秋一字褒貶之義，宅心恕而立法嚴〉云：

（孔）穎達曲徇杜預，而毒詈其遠祖，豈自忘其為孔氏之孫乎？杜孔之解《春秋》，如此等處，不謂之邪說不可也。18

李唐之天下，取之於楊隋，孔穎達身為唐臣，其心中豈真有掩飾取媚之意存乎？

17 陳灃：《東塾讀書記》卷十，（臺北，臺灣商務印書館，一九六七年），頁一六一。

18 皮錫瑞：《經學通論》卷四，（臺北，臺灣商務印書館，一九六五年），頁二十七。

# 伍、《春秋公羊傳》中「惡戰伐而尚和平」之精神

## 一、引　言

《春秋》本是魯國歷史之名，孔子借以為筆削寓義之書，《孟子・滕文公上》曰：「世衰道微，邪說暴行有作，臣弒其君者有之，子弒其父者有之，孔子懼，作《春秋》，《春秋》，天子之事也，是故孔子曰，知我者，其唯《春秋》乎，罪我者，其唯《春秋》乎！」[1]《孟子・離婁下》曰：「王者之跡熄而《詩》亡，《詩》亡，然後《春秋》作，晉之《乘》，楚之《檮杌》，魯之《春秋》，一也，其事，則齊桓晉文，其文，則史，孔子曰，

1 孫奭：《孟子注疏》卷六，（臺北，藝文印書館，一九九三年），頁一一七。

其義，則丘竊取之也。」[2]孟子以為，天下淆亂，王者之道不彰，孔子乃藉魯史而作《春秋》，賦予新義，以布衣而行天子褒貶之事，以為天下儀表，故《春秋》之中，有「事」有「文」有「義」，而《春秋》所特重者，尤在其「義」。

《史記・十二諸侯年表・序》曰：「孔子明王道，干七十餘君，莫能用，故西觀周室，論史記舊聞，興於魯，而次《春秋》，上記隱，下至哀之獲麟，約其辭文，去其煩重，以制義法，王道備，人事浹，七十子之徒，口受其傳指，為有所刺譏褒諱挹損之文辭，不可以書見也。」[3]故孔子所傳口授之義，後世也多以口授傳之，至漢代，方著於竹帛。

《漢書・藝文志》於〈六藝略〉，著錄《春秋古經十二篇》，又記載說《春秋》之著述有《左氏傳》、《公羊傳》、《穀梁傳》、《鄒氏傳》、《夾氏傳》五種，班固曰：「鄒氏無師，夾氏未有書。」[4]是以《春秋》一經，僅存三《傳》，三《傳》之中，《左傳》以記事為主，《公羊傳》與《穀梁傳》以解《經》為主，記事則期其能夠備述歷史之事實，解《經》則要在能夠闡發《春秋》之微言大義。

《史記・太史公自序》曰：「夫《春秋》上明三王之道，下辨人事之紀，別嫌疑，明是非，定猶豫，善善惡惡，賢賢賤不肖，存亡國，繼絕世，補敝起廢，王道之大者也。」[5]因此，孔子作《春秋》，主要是鑑於社會衰頹，人們價值觀念，淆亂不清，所以，才藉著《春秋》，樹立人倫道德的標準，確定是非誠偽的規範，以作為指示人生進程的路向。

《春秋》記事，始於魯隱公元年（西元前七二二年），終於魯哀公十四年（西元前四八一年），歷經隱、桓、莊、閔、僖、文、宣、成、襄、昭、定、哀十二公，記述二百四十二年中的史事，而春秋時期，諸侯相互侵伐，戰爭頻繁，《史記・太史公自序》曾經指出，春秋時代，「弒君三十六，亡國五十二，諸侯奔走不得保其社稷者不可勝數」，混亂已至極點，而孔子生於春秋晚期（西元前五五一年至前四七九年），目睹亂相，心中惻隱不已，於是假借《春秋》史事，對於戰伐侵陵的行為，作出嚴厲的批評，同時，對於當時人們愛好和平的行事，則作出讚賞的態度。

## 二、《春秋公羊傳》中厭惡戰爭侵伐的行徑

《春秋公羊傳》是一部充滿文化理想的典籍，在評論史事的是非，價值的判斷時，它也最為憎惡國際間率先進行那些侵伐乖違的行為，所謂「君子之惡惡也疾始，善善也樂

2 孫奭：《孟子注疏》卷八，（臺北，藝文印書館，一九九三年），頁一四六。
3 司馬遷：《史記》，（臺北，鼎文書局，一九九一年），頁五〇九。
4 班固：《漢書》卷三十，（臺北，鼎文書局，一九九一年），頁一七一二。
5 司馬遷：《史記》，（臺北，鼎文書局，一九九一年），頁三二八五。

終」[6]，也最稱許那些在國際間推動和平而有始有終的作為。

例如《春秋》隱公二年記曰：

無駭帥師入極。

《公羊傳》曰：

無駭者何？展無駭也。何以不氏？貶。曷為貶？疾始滅也。[7]

魯隱公二年，魯公子展無駭帥師入侵極國，並滅亡該國，《公羊傳》設問，既是魯國大夫展無駭帥師，何以《春秋》不加稱無駭之姓氏，稱之曰「展無駭」，《公羊傳》以為，經文省去了「展」氏，是孔子有意貶抑無駭，因為無駭首開滅人之國的惡例，是罪大惡極的行為，故而去其姓氏，用以貶謫。

又如《春秋》隱公四年記曰：

春，二月，莒人伐杞，取牟婁。

《公羊傳》曰：

牟婁者何？杞之邑。外取邑不書，此何以書？疾始取邑也。[8]

魯隱公二年，莒國人攻取杞國的城邑牟婁，《春秋》於國與國之間的戰爭，攻取他國的城邑，照例不加書記，何以於莒人攻取牟婁，卻加以記錄？《公羊傳》以為，此處加以記錄，乃是孔子疾惡莒人的攻擊行為，是春秋時期諸侯侵佔他國領土的開始，故而加以記錄，以彰顯莒人首開侵佔他國城邑的惡劣行徑，《穀梁傳》也說：「言伐言取，所惡也，諸侯相伐取地，於是始，故謹而志之也。」[9]其義也與《公羊傳》相同。

又如《春秋》桓公七年記曰：

春，二月，己亥，焚咸丘。

---

6 徐彥：《公羊傳注疏》卷十一，（臺北，藝文印書館），頁一四〇。

7 徐彥：《公羊傳注疏》卷二，（臺北，藝文印書館），頁二十四。

8 徐彥：《公羊傳注疏》卷二，（臺北，藝文印書館），頁二十九。

9 楊士勛：《穀梁傳注疏》卷二，（臺北，藝文印書館，一九九三年），頁二十。

《公羊傳》曰：

> 焚之者何？樵之也。樵之者何？以火攻也。何言乎以火攻？疾始以火攻也。咸丘者何？邾婁之邑也。曷為不繫乎邾婁？國之也。曷為國之？君存焉爾。[10]

魯桓公七年，魯國攻擊附近小國邾婁的城池咸丘，邾婁之國君尚在城中，而魯用火攻焚燒咸丘，為春秋時期以火攻敵之始，故《公羊傳》「疾始以火攻也」，何休《公羊傳解詁》也說：「征伐之道，不過用兵，服則可以退，不服則可以進，火之盛炎，水之盛衝，雖欲服罪，不可復禁，故疾其暴而不仁也。」疾惡殘暴不仁的侵略行為，正是《公羊傳》的重要主張。

又如《春秋》僖公二十六年記曰：

> 冬，楚人伐宋，圍緡。

《公羊傳》曰：

邑不言圍，此其言圍何？刺道用師也。[11]

魯僖公二十六年，春天夏天，齊國大軍兩次侵伐魯國，魯國不得已，使公子遂如楚國乞師求救，楚國同意派兵救魯，但是，楚軍行至半途，卻先攻擊宋國，包圍宋國緡邑，《公羊傳》以為，《春秋》於城邑被他國軍隊包圍，一般是不加記錄，此處特別言「圍」，主要是譏刺楚國，軍行半途轉而侵伐他國的不義行為，何休《公羊傳解詁》也說：「時以師與魯，未至，又道用之於是，惡其視百姓之命若草木，不仁之甚也。」所釋《傳》意極是。

要之，無論何國何人，只要是主動發起戰爭，侵略他國，殺傷人馬，不顧百姓生命，都是《春秋》力加貶謫譏刺，深惡痛絕的行為。

## 三、《春秋公羊傳》中稱許符合義戰的行為

春秋是一個四夷交侵、諸侯爭霸、競尚武力的時代，戰爭的行為，自然不能避免，雖

10 徐彥：《公羊傳注疏》卷五，（臺北，藝文印書館），頁五十九。

11 徐彥：《公羊傳注疏》卷十二，（臺北，藝文印書館），頁一五一。

然，孟子曾經說道，「《春秋》無義戰」[12]，但是，從戰爭的目的及本質而言，春秋時代四五百次大小不同的戰爭，仍然可以區分為「義戰」和「不義之戰」，像春秋時期，諸侯之間所強調的「尊王攘夷」，強調保衛華夏民族，就是區分是否為義戰的一個重要標準，例如《春秋》僖公四年記曰：

> 夏，許男新臣卒，楚屈完來盟于師，盟于召陵。

《公羊傳》曰：

> 屈完者何？楚大夫也。何以不稱使？尊屈完也。曷為尊屈完？以當桓公也。其言盟于師、盟于召陵何？師在召陵也。師在召陵，則曷為再言盟？喜服楚也。何言乎喜服楚？楚有王者則後服，無王者則先叛，夷狄也，而亟病中國，南夷與北狄交，中國不絕若線，桓公救中國而攘夷狄，卒帖荊，以此為王者之事也。其言來何？與桓公為主也，前此者有事矣，後此者有事矣，則曷為獨於此焉？與桓公為主，序績也。[13]

魯僖公四年，齊桓公與中原諸侯的聯軍，討伐楚國，楚國恐懼，使大夫屈完，代表楚國，來與齊桓公兩次訂立盟約，由於楚國屬於南方的夷狄，屢次侵略中夏民族，而齊桓公能夠尊重周天子，聯合中原各國，討伐夷狄，而使楚國屈服，故《春秋》特別予以嘉許，董仲舒《春秋繁露·竹林》曰：「戰不如不戰，然而有所謂善戰；不義之中有義，義之中有不義。」[14] 董仲舒以為，戰爭自然是不善的行為，能夠避免則最為理想，但不義的行為中，有時仍然有其合於正義的部分，齊桓公能救中國而攘夷狄，雖然不免有戰爭的行為，《春秋》也加以稱許，理由也正在於此。

又如《春秋》僖公三十三年記曰：

夏，四月，辛已，晉人及姜戎敗秦于殽。

《公羊傳》曰：

12 孫奭：《孟子注疏》卷十四，（臺北，藝文印書館，一九九三年），頁二四八。

13 徐彥：《公羊傳注疏》卷十，（臺北，藝文印書館，一九九三年），頁一二六。

14 蘇輿：《春秋繁露義證》卷二，（臺北，河洛圖書出版社，一九七四年），頁三十五。

> 其謂之秦何？夷狄之也。曷為夷狄之？秦伯將襲鄭，百里子與子叔子諫曰：「千里而襲人，未有不亡者也。」秦伯怒曰：「若爾之年者，宰上之木拱矣，爾曷知。」師出，百里子與蹇叔子送其子而戒之曰：「爾即死，必于殽之嶔巖，是文王之所辟風雨者也，吾將尸爾焉。」子揖師而行，百蹇子與蹇叔子從其子而哭之，秦伯怒曰：「爾曷為哭吾師。」對曰：「臣非敢哭君師，哭臣之子也。」弦高者，鄭商也，遇之殽，矯以鄭伯之命而犒師焉，或曰：「往矣。」或曰：「反矣。」然而晉人與姜戎要之殽而擊之，匹馬隻輪無反者。其言及姜戎何？姜戎，微也，稱人，亦微者也，何言乎姜戎之微？先軫也，或曰，襄公親之。襄公親之，則其稱人何？貶，曷為貶？君在乎殯而用師，危不得葬也，詐戰不日，此何以日？盡也。[15]

魯僖公三十三年，秦穆公欲偷襲鄭國，不聽大臣百里奚及蹇叔的勸諫，而派大將孟明視、西乞術、白乙丙三人率師東行，在途中遇到鄭國的商人弦高，弦高一面假裝奉鄭君之命前來犒師，一面急速將秦軍來襲的消息使人稟報鄭君知曉，鄭君求救於晉，晉襄公親自率師救鄭，在殽山與秦軍遭遇，大敗秦軍，俘虜孟明視等三人，《公羊傳》解說此事時說，《春秋》何以稱「秦」？主要是秦穆公偷襲鄭國的戰爭行為，太過惡劣，所以《春秋》稱「秦」，是視秦為夷狄，而加以貶謫的意思，因秦本非夷狄之邦，《春秋》貶秦為夷狄，是由於深惡痛絕其詭詐暗襲的行徑，故等同其為野蠻的夷狄。

又如《春秋》宣公十二年記曰：

夏，六月，乙卯，晉荀林父帥師，及楚子戰于邲，晉師敗績。

《公羊傳》曰：

大夫不敵君，此其稱名氏以敵楚子何？不與晉而與楚子為禮也。曷為不與晉而與楚為禮也？莊王伐鄭，勝乎皇門，放乎路衢，鄭伯肉袒，左執茅旌，右執鸞刀，以逆莊王……，莊王親自手旌，左右撝軍退舍七里，……既則晉師之救鄭者至，曰：「請戰。」莊王許諾。……莊王鼓之，晉師大敗，晉眾之走者，舟中之指可掬矣，莊王曰：「嘻！吾兩君不相好，百姓何罪。」令之還師，而佚晉寇。[16]

15 徐彥：《公羊傳注疏》卷十二，（臺北，藝文印書館，一九九三年），頁一五八。

16 徐彥：《公羊傳注疏》卷十六，（臺北，藝文印書館，一九九三年），頁二〇三。

魯宣公十年，鄭國與楚國媾和，後又背叛，十二年春，楚莊王親自帥師伐鄭，六月，晉大夫荀林父帥師救鄭，渡過黃河，與楚師大戰於邲，晉軍大敗，奔逃軍士渡河爭舟，先入舟者，斬後至扳舟者之手，手指墮於舟中，多至可以掬捧，可見戰爭慘烈的一斑，而楚莊王下令讓晉軍盡佚逃亡，而不再加追擊，故《公羊傳》以為，《春秋》既稱晉帥荀林父之名，又稱楚君為子，乃是《春秋》讚許楚君行為合乎禮義，改稱夷狄之邦的楚君為子爵之名，而又貶謫晉軍統帥以臣敵君的好戰行為。董仲舒《春秋繁露．竹林》批評邲之戰也說：「《春秋》無通辭，從變而移，今晉變而為夷狄，楚變而為君子，故移其辭以從其事。」[17]可謂深得《公羊傳》先師的用心，也可見《春秋》雖然強調了尊王攘夷的思想，但是，夷夏之辨，主要的分別，卻並不在於血統，而在於禮義的原則。

## 四、《春秋公羊傳》中獎勵和平仁愛的行事

相對於侵略戰爭的殘酷不仁，推動和平的行為，自然受到《春秋公羊傳》的稱許，在《春秋》之中，一共記載了六次稱之為「平」的和平行為，依次是：

1. 隱公六年記曰：「春，鄭人來輸平。」
2. 宣公四年曰：「春，王正月，公及晉侯平莒及郯，莒人不肯，公伐莒，取向。」

3. 宣公十五年記曰：「夏，五月，宋人及楚人平。」
4. 昭公七年記曰：「春，王正月，暨齊平。」
5. 定公十年記曰：「春，王三月，及齊平。」
6. 定公十一年記曰：「冬，及鄭平。」

此六次關於「平」的記載，後三次，《公羊傳》並無相關的解釋，對於第一次及第二次，《公羊傳》的解釋，還具有一些違反和平及未曾達成和平的批評意見，只有第三次，最為重要，《公羊傳》的解釋，也最為詳盡，《公羊傳》曰：

> 外平不書，此何以書？大其平乎己也，何大乎平乎己？莊王圍宋，軍有七日之糧爾，盡此不勝，將去而歸爾，於是使司馬子反乘堙而闚宋城，宋華元亦乘堙而出見之，司馬子反曰：「子之國何如？」華元曰：「憊矣。」曰：「何如？」曰：「易子而食之，析骸而炊之。」司馬子反曰：「嘻！甚矣憊，雖然，吾聞之也，圍者，柑馬而秣之，使肥者應客，是何子之情也？」華元曰：「吾聞之，君子見人之厄則矜之，小人見人之厄則幸之，吾見子之君子也，是以告情于子也。」司馬子反曰：「諾，勉之

17 蘇輿：《春秋繁露義證》卷二，（臺北，河洛圖書出版社，一九七四年），頁三十二。

> 矣，吾軍亦有七日之糧爾，盡此不勝，將去而歸爾。」揖而去之，反于莊王，莊王曰：「何如？」司馬子反曰：「憊矣。」曰：「何如？」曰：「易子而食之，析骸而炊之。」莊王曰：「嘻！甚矣憊，雖然，吾今取此，然後而歸爾。」司馬子反曰：「不可，臣已告之矣，軍有七日之糧爾。」莊王怒曰：「吾使子往視之，子曷為告之？」司馬子反曰：「以區區之宋，猶有不欺之人臣，可以楚而無乎？是以告之也。」莊王曰：「諾，舍而止，雖然，吾猶取此，然後歸爾。」司馬子反曰：「然則君請處于此，臣請歸爾。」莊王曰：「子去我而歸，吾孰與處于此，吾亦從子而歸爾。」引使而去之，故君子大其平乎己也，此皆大夫也，其稱人何？貶，曷為貶？平者在下也。[18]

魯宣公十五年，楚軍包圍宋國，楚司馬子反與宋華元，適相逢在外，華元告以宋人疲憊之情形，司馬子反也告以楚軍僅有七日存糧的實情，司馬子反不忍宋人繼續「易子而食，析骸而炊」的悲慘情況，建議楚莊王，撤兵返國，完全是一種惻隱之心的表現，也是一種特重人道精神的作為，雖然，《公羊傳》闡釋《春秋》之義，對於華元與子反二人，以臣下的身分自行議和，表示了稱「人」以貶的態度，但是，對於宋國與楚國能夠自行議和，不假外力，卻也給予了高度的肯定。《春秋繁露．竹林》曾曰：「司馬子反為其君使，廢君命，與敵情，從其所請，與宋平，是內專政，而外擅名也，專政則輕君，擅名則不臣，而《春秋》大之，奚由哉？曰，為其有慘怛之恩，不忍餓一國之民，使之相食，推恩者遠之為大，為仁者自然為美，今子反出己之心，矜宋之民，無計其間，故大之也。」又曰：「見人相食，驚人相爨，救之忘其讓，君子之道，有貴於讓者也，故說《春秋》者，無以平定之常義，疑變故之大，則義幾可諭矣。」[19]也是以為，《春秋》之道，有常有變，司馬子反聞知宋人易子而食，悲憫之餘，心駭目驚，因而才有了不顧謙讓於君而自專其政的措施，但是，這也正表現了一種仁愛和平的精神，所以，《春秋》才對子反的行為，特別加以稱許。

## 五、結　語

中華民族受到孔子思想與儒家學說的影響，向來愛好和平，注重仁義道德，而反對侵略戰爭的行為，孟子曾經說道：「君不行仁政而富之，皆棄於孔子者也，況於為之強戰，爭地以戰，殺人盈野，爭城以戰，殺人盈城，此所謂率土地而食人肉，罪不容於死，故善戰者服

18 徐彥：《公羊傳注疏》卷十六，（臺北，藝文印書館，一九九三年），頁二〇五。

19 蘇輿：《春秋繁露義證》卷二，（臺北，河洛圖書出版社，一九七四年），頁三十六。

上刑。」[20]最能指出戰爭殘酷的本質。

《公羊傳》稟承孔子口授的微言，闡釋《春秋》一經，抒發了精闢的要義，其中，對於戰爭的殘酷，作出了不少憎惡的批判，對於和平的追求，也作出了許多推崇的意念，值得研究儒學的人們，加以發揚光大。

（此文原載於中華孔孟學會、國際儒學聯合會主辦之《二〇一〇年海峽兩岸儒學交流研討會論文集》，二〇一〇年六月出版）

20 孫奭：《孟子注疏》卷七，（臺北，藝文印書館，一九九三年），頁一三四。

# 陸、范甯對《春秋》三《傳》之評論

## 一、引　言

《漢書·藝文志》著錄《春秋》古經十二篇、《經》十一卷之外，又著錄《左氏傳》三十卷、《公羊傳》、《穀梁傳》、《鄒氏傳》、《夾氏傳》各十一卷。《鄒氏傳》、《夾氏傳》，班固自注：「有錄無書。」是班固撰《漢書》之時，二書已經亡佚，故《春秋》一經，僅存《左傳》、《公羊傳》、《穀梁傳》，流傳至今。

《後漢書·馬融傳》記載，馬融撰有《三傳異同說》，討論三傳異同者，此書當屬最早，唯其書久佚，僅馬國翰《玉函山房輯佚書》尚有輯本，迄至晉代，范甯撰《春秋穀梁傳集解》，於該書〈自序〉中，評論三傳之得失，最為深刻，故為世人所重視。

范甯，字武子，東晉南陽順陽（今河南淅川縣）人，成帝咸康五年生，安帝龍安五年卒，（三三四—四〇一）享年六十三歲。曾仕為餘杭縣令，臨淮太守，徵拜中書侍郎，補豫章太守。所撰《春秋穀梁傳集解》一書，後世列入為《十三經注疏》之中。

此文之作，即就范甯所論三傳之得失者，加以分析，以見《春秋》三《傳》之作，精神各有所主，得失各有所在，以供研讀三傳者參稽之用。

## 二、范甯舉例說明三傳之缺點

范甯在《春秋穀梁傳集解·自序》之中，曾經舉出例證，以說明三傳之缺點，其〈自序〉云：

> 成天下之事業，定天下之邪正，莫善於《春秋》。《春秋》之傳有三，而為經之旨一，臧否不同，褒貶殊致，蓋九流分而微言隱，異端作而大義乖。《左氏》以鬻拳兵諫為愛君，文公納幣為用禮；《穀梁》以衛輒拒父為尊祖，不納子糾為內惡；《公羊》以祭仲廢君為行權，妾母稱夫人為合正。以兵諫為愛君，是人主可得而脅也；以納幣為用禮，是居喪可得而婚也；以拒父為尊祖，是為子可得而叛也；以不納子糾為內惡，是仇讎可得而容也；以廢君為行權，是神器可得而闚也；以妾母為夫人，是嫡庶可得而齊也。若此之類，傷教害義，不可得強通者也。

又云：

凡傳以通經為主，經以必當為理。夫至當無二，而三《傳》殊說，庸得不棄其所滯，擇善而從乎？既不俱當，則固容俱失。若至言幽絕，擇善靡從，庸得不並舍以求宗，據理以通經乎？雖我之所是，理未全當，安可以得當之難而自絕於希通哉？[1]

針對三《傳》之缺點，范甯舉出了六件事例，分別加以說明，以資印證。以下，即就其六件事例，加以分析。

### 1.《左傳》以鬻拳兵諫為愛君。

《左傳》莊公十九年記云：

初，鬻拳強諫楚子，楚子弗從。臨之以兵，懼而從之，鬻拳曰：「吾懼君以兵，罪莫大焉。」遂自刖也。楚人以為大閽，謂之大伯，使其後掌之，君子曰：「鬻拳可謂愛

1 楊士勛：《春秋穀梁傳注疏》卷一，（臺北，藝文印書館，一九九三年），頁三。

君矣，諫以自納於刑，刑猶不忘納君於善。」[2]

鬻拳以兵刃脅迫強諫楚文王，自知其罪重大，乃自刖其足，以懲己過，當時君子之人，以為鬻拳之行為，乃出於愛君之動機，意在納君於善。

徐復觀先生曾經指出，以「君子曰」的形式，發表自己的意見，也是《左傳》解釋《春秋》的一種方式，「君子曰」的「君子」，正是左氏的自稱。[3]至於范甯指出，以兵諫為愛君的行為，可能導致於後世大臣以為「人主可得而脅」的不良後果，衍生流弊，則是范甯從君臣倫理的立場上所作的道德判斷，也就是范甯所謂的「據理以通經」的方法。

**2.《左傳》以文公納弊為用禮。**

《左傳》文公二年記云：

（冬）襄仲如齊納幣，禮也。凡君即位，好舅甥，脩昏姻，娶元妃以奉粢盛，孝也。孝，禮之始也。[4]

魯僖公三十三年冬十二月，僖公薨，次年，魯文公即位，魯文公二年（冬），公子遂（字襄仲）如齊納幣，致送玉帛財物，以作聘禮，因齊魯兩國，世世聯姻，魯文公之母聲姜，即為齊國人，齊魯兩國，為舅甥之關係，故襄仲赴齊國致奉聘禮，至文公四年夏，迎娶齊女為文公夫人，以奉祀祖先，《左傳》以此為孝道的行為，也是禮義開始的行為。但是，范甯以為，魯僖公方薨不久，文公尚在服喪期間，如此行徑，可能導致後世人君，以為「居喪可得而婚」的違禮行為。

傅隸樸先生《春秋三傳比義》曾說：「《公羊》則以納幣例不當書，經書納幣，是譏文公喪娶。按僖公卒於三十三年十二月（杜注：「乙巳為十一月十二日，經書十二月，誤。」）至文公二年十二月，則是已滿二十四月了，加上閏三月，已超過二十五月，此經雖未書日月，但事既在冬末，應當是十二月，三年之喪，以二十五月服闋，應該不是喪娶。」又說：「文公之逆婦姜既在四年夏，自不得言喪娶。」[5]然則范甯批評《左傳》「以文公納幣為用禮」的主張，勢必導致後世「君主居喪可得而婚」的流弊，則也不能成立。

### 3.《穀梁傳》以衛輒拒父為尊祖

2 孔穎達：《春秋左傳注疏》卷九，（臺北，藝文印書局，一九九三年），頁一六〇。

3 徐復觀：〈原史——由宗教通向人文的史學的成立〉，載徐著《兩漢思想史》卷三，（臺北，臺灣學生書局，一九七九年），頁二七〇。

4 孔穎達：《春秋左傳注疏》卷十八，（臺北，藝文印書館，一九九三年），頁三〇四。

5 傅隸樸：《春秋三傳比義》，（臺北，臺灣商務印書館，一九八三年），頁四五一。

衛靈公寵愛南子，南子私通於宋朝，世子蒯聵怨其母而欲殺南子，不成，為靈公所逼，蒯聵避往宋國，及靈公薨，晉國趙鞅帥軍送蒯聵返回衛國，蒯聵之子輒，已立為衛君，拒絕蒯聵返國，《春秋》哀公二年記云：

晉趙鞅帥師納衛世子蒯聵於戚。

《穀梁傳》云：

納者，內弗受也。帥師而後納者，有伐也。何用弗受也？以輒不受也。以輒不受父之命，受之王父也。信父而辭王父，則是不尊王父也。其弗受，以尊王父也。6

《穀梁傳》以為，輒如果聽從父親蒯聵之言，讓出君位，則是不遵從祖父靈公之言，因此，輒不讓父親蒯聵返國，正是遵從祖父命令的表現。其實，衛國國君，父子孫三代相爭，父既不父，子也不子，母更不母，純粹是一個國家一個家庭倫常之變的悲劇行為，范甯認為那是「傷教害義」的行為，評論極為正確，如果《穀梁傳》的解釋可以成立，以輒之拒父為尊祖，那確是會有鼓勵「為子可得而叛父」的流弊產生。

## 4.《穀梁傳》以不納子糾為內惡

春秋魯桓公十八年，桓公赴齊國，其夫人文姜同行，與齊襄公相會於濼，齊襄公與其妹文姜私通，魯桓公得悉之後，責備文姜，文姜告知齊襄公，襄公命公子彭生殺害魯桓公。魯莊公繼立為君，與文姜斷絕母子關係。

春秋莊公八年，齊襄公為公孫無知所弒，其先，齊襄公無道，鮑叔牙奉公子小白出奔莒，及襄公被弒，管仲及召忽奉公子糾出奔魯。春秋莊公九年，齊國大夫雍廩殺公孫無知，齊國大亂，魯莊公與齊國大夫在暨地簽訂盟約，約定送公子糾返回齊國，夏天，齊國背棄盟約，魯莊公乃帥師伐齊，欲送子糾返國，而鮑叔牙奉公子小白自莒先返齊國，即國君位，是為齊桓公。莊公九年秋，魯軍與齊軍戰於乾時，魯軍失敗。鮑叔牙帥軍伐魯國，魯國乃殺公子糾，召忽自殉，鮑叔牙携帶管仲返回齊國。

《春秋》莊公九年記云：

> 公及齊大夫盟於暨。夏，公伐齊，納糾。齊小白入於齊。八月，庚申，及齊師戰於乾時，我師敗績。九月，齊人取子糾殺之。

6 楊士勛：《春秋穀梁傳注疏》卷二十，（臺北，藝文印書館，一九九三年），頁一九九。

《穀梁傳》云：

公不及大夫，大夫不名，無君也，盟納子糾也。不日，其盟渝也。當齊無君，制在公矣，當可納而不納，故惡內也。

又云：

當可納而不納，齊變而後伐，故乾時之戰，不諱敗，惡內也。

又云：

外不言取，言取，病內也。取，易辭也，猶曰取其子糾而殺之云爾。十室之邑，可以逃難，百室之邑，可以隱死。以千乘之魯，不能存子糾，以公為病矣。[7]

《穀梁傳》以為，一國之國君，不應與別國大夫簽訂盟約，而《春秋》言「公及齊大夫盟於暨」，言魯莊公與齊國大夫訂盟，卻不提齊國大夫的姓名，是因為當時齊國沒有國君。而齊魯兩國訂盟，《春秋》卻不記載日期，是因為後來盟約變了。《穀梁傳》以為，當齊國無君之時，盟約的決定權，就握在魯莊公的手中，此時，莊公不立即決定護送公子糾返國，可送卻不曾送，喪失先機，是魯國的錯誤。等到齊國背棄盟約之後，魯國再興兵討伐齊國，優勢已失，以至失敗，故《春秋》不避諱魯國戰敗，直接記載「齊小白入於齊」，正是譴責魯國的恥辱。

《春秋》又記曰：「齊人取子糾殺之。」《穀梁傳》以為，《春秋》本是魯史，《春秋》記事，也以魯國為主要根本，魯國以外的國家來魯國任意攜走公子糾而殺之，是輕視魯國的行為，所以用「取」字，是表示責備魯國的意思。同時，也更申述，以千乘之大國，竟然不能保護公子糾的性命，魯莊公是應該被譴責的。

齊國內亂，魯莊公未及時護送公子糾返國，《穀梁傳》對於魯國「惡內」的批評，范甯並不贊成，范甯以為，魯桓公為齊襄公所殺，魯齊兩國，應為不共戴天之仇，齊國內亂，魯莊公不圖報殺父之仇，反接納公子糾，又意圖護送公子糾返回齊國，如此行事，是忘記君父之仇，也將導致為人子者，產生「仇讎可得而容」的錯誤觀念。

鍾文烝《春秋穀梁經傳補注》云：「齊變者，謂是齊人已歸迎小白，即上《傳》渝盟是

7 楊士勛：《春秋穀梁傳注疏》卷五，（臺北，藝文印書館，一九九三年），頁五十。

也。當可納而不納，以致齊變，變而後伐，取敗之道，故下文直書敗績，不復為諱，又所以惡內也。上惡內謂盟不書日，微見惡意，此惡內謂戰不諱敗，明著惡文，皆惡其當可納而不納，其義一也。當可納而不納，與復讎義不相涉，所以然者，魯所讎，齊襄也，襄已殺死，何讎之有。」[8]鍾文烝以為，魯國所視以為仇讎者，為齊襄公，當訂盟欲護送公子糾返國時，齊襄公已經亡故，因此，「當可納而不納」之時，「與復讎義不相涉」，鍾氏之言，至為通達，范甯針對此事，以為《穀梁傳》「不納子糾為內惡」，將會引致世人「仇讎可得而容」的後果，不免引申過遠。

### 5.《公羊傳》以祭仲廢君為行權

鄭莊公有四子，分別是忽、突、亹、儀。鄭莊公死後，大臣祭仲擁立忽為鄭昭公，但是，宋國雍氏女嫁給鄭莊公，生子突，宋人引誘祭仲前往宋國，加以拘禁，威脅祭仲回國，改立宋女所生之突，祭仲以為，不從宋人之言，則昭公必然為宋人所殺，國家必然為宋人所滅，聽從宋人之言，則昭公可以出亡而生，國家也可以改亡為存。於是祭仲應允宋人之言，返國之後，廢昭公，改立突為鄭厲公。

《公羊傳》桓公十一年云：

> 祭仲者何？鄭相也，何以不名？賢也。何賢乎祭仲？以為知權也。[9]

《公羊傳》以為，祭仲廢舊君，立新君，是「知權」的行為，知道通權達變的行為。

范甯以為，祭仲「廢君」的行為，《公羊傳》將之解釋為「行權」的舉動，必然導致於亂臣賊子作為「神器可得而闚」的藉口，貽禍無窮。

其實，《公羊傳》有「借事明義」之義，皮錫瑞《經學通論》云：「借當時之事，以明褒貶義，即褒貶之義，以為後來之法，如魯隱公非真能讓國也，而《春秋》借魯隱公之事，以明讓國之義。祭仲非真能知權也，而《春秋》借祭仲之事，以明知權之義。」[10] 明乎此，則范甯對於《公羊傳》的批評，也許便不見得會那麼嚴格了。

### 6.《公羊傳》以妾母稱夫人為合正

魯惠公的元配夫人是宋武公的女兒孟子，孟子早卒，無子，遂以其媵妾聲子為繼室，生子名息姑，後來，宋武公又生女兒仲子，即孟子之妹，仲子生時，掌心有文，曰「為魯夫人」，故宋武公又將仲子嫁予魯惠公，生子名軌。周平王四十九年（公元前七二二），魯惠公死，其嫡子軌，年尚幼，國人遂立其庶長子息姑為君，是為魯隱公，攝行政事，隱公在位

8 鍾文烝：《春秋穀梁傳補注》卷六，（北京，中華書局，一九九六年），頁一六八。

9 徐彥：《春秋公羊傳注疏》卷五，（臺北，藝文印書館，一九九三年），頁六十。

10 皮錫瑞：《經學通論》卷四，（臺北，臺灣商務印書館，一九六五年），頁二十一。

十一年，牢記自己是攝政之君，故專心等候惠公嫡子軌長大後返政予軌，讓軌登國君之位。隱公十一年，隱公為大臣公子翬（羽父）所弒，軌繼立為君，是為魯桓公。

《春秋》隱公二年記云：

> 十有二月乙卯，夫人子氏薨。

《公羊傳》云：

> 夫人子氏者何？隱公之母也。何以不書葬？成公意也。何成乎公之意？子將不終為君，故母亦不終為夫人也。[11]

《公羊傳》以為，子氏是隱公的生母聲子，范甯認為，聲子既為媵妾，稱夫人，可能誤導世人，以為「嫡庶可得而齊」，以致混淆禮制。其實，《公羊傳》已有解釋，依禮，夫人之薨，例當書葬，今《春秋》不書葬，並非不以夫人之禮相視，而是成全隱公讓位惠公嫡子之用意，隱公既不視自己為君，故其生母也不應享有夫人之禮。《春秋》稱聲子為夫人，其實只是尊重惠公而已。並未主張「嫡庶可得而齊」。

范甯針對《春秋》三傳的缺點，所舉出的六個事例，經過分析之後，也可以加以說明，六個事例之中，其中第一個事例「《左傳》以鬻拳兵諫為愛君」，第三個事例「《穀梁傳》以衛輒拒父為尊祖」，確實可能影響後世之人，產生誤解誤導的結果。

至於第二個事例「《左傳》以文公納幣為用禮」，第四個事例「《穀梁傳》以不納子糾為內惡」，第五個事例「《公羊傳》以祭仲廢君為行權」，第六個事例「《公羊傳》以妾母稱夫人為合正」，則三《傳》的解釋，各有自身的不同立場，范甯以為此四件事例有可能影響世人，產生誤導的影響，則未免言過其實。

## 三、范甯綜論三傳之得失

范甯在《春秋穀梁傳集解・自序》之中，曾經對於三傳之得失，作出綜合性的評論，其〈自序〉云：

> 昔周道衰陵，乾綱絕紐，禮壞樂崩，彝倫攸斁，弒逆篡盜者國有，淫縱破義者比肩，

11　徐彥：《春秋公羊傳注疏》卷三，（臺北，藝文印書館，一九九三年），頁二十六。

是以妖災因釁而作，民俗染化而遷，陰陽為之愆度，七曜為之盈縮，川岳為之崩竭，鬼神為之疵厲。……孔子觀滄海之橫流，迺喟然而歎曰：「文王既沒，文不在茲乎。」言文王之道喪，興之者在己。於是就太師而正雅、頌，因魯史而修《春秋》，……一字之褒，寵踰華袞之贈，片言之貶，辱過市朝之撻。[12]

范甯以上所論，主要說明在周代末期，天下大亂，道德沉淪，孔子以拯救人道自任，撰著《春秋》，寄寓褒貶精神於其中，以作為世人立身行事的標準，因此，在《春秋》之中，一字之褒，或一字之貶，都嚴格地確立了對世人行為的道德判斷，從而也建立了世人立身處事的行為準則。

范甯《春秋穀梁傳集解・自序》又云：

《左氏》艷而富，其失也巫；《穀梁》清而婉，其失也短；《公羊》辯而裁，其失也俗。若能富而不巫，清而不短，裁而不俗，則深於其道者也，故君子之於《春秋》，沒身而已矣。[13]

對於《春秋》三傳的優劣得失，范甯只是用簡略精要的文字，加以評論，但是，楊士勛在

《春秋梁穀傳注疏》之中，卻舉出了一些事例，對於范甯的評論，加以證明，楊士勛說：

左丘明身為國史，躬覽載籍，屬辭比事，有可依據，楊子以為「品藻」，范氏以為「富艷」者，文辭可美之稱也。云「其失也巫」者，謂多鬼神之事，預言禍福之期，申生之託狐突，荀偃死不受含，伯有之厲，彭生之妖是也。云「清而婉」者，辭清義通，若論隱公之小惠，虞公之中知是也。云「其失也短」者，謂元年大義而無傳，益師不日之惡，略而不言是也。云「辯而裁」者，辯謂說事分明，裁謂善能裁斷，若斷元年五始，益師三辭，美惡不嫌同辭，貴賤不嫌同號是也，舊解以為裁謂才辯，恐非也。云「其失也俗」者，若單伯之淫叔姬，鄫子之請魯女，論叔術之妻嫂是非，說季子之兄弟飲食是也。云「沒身而已」者，三傳雖說《春秋》，各有長短，明非積年所能精究，故要以沒身為限也。[14]

12 楊士勛：《春秋穀梁傳注疏》卷一，（臺北，藝文印書館，一九九三年），頁三。

13 楊士勛：《春秋穀梁傳注疏》卷一，（臺北，藝文印書館，一九九三年），頁三。

14 楊士勛：《春秋穀梁傳注疏》卷一，（臺北，藝文印書館，一九九三年），頁七。

楊士勛所舉出的一些事例，其實是針對范甯評論《春秋》三傳的意見，加以疏通佐證，以下，即依據楊士勛所舉出的事例，分別予以說明。

## 甲、楊士勛針對范甯評論《左傳》「艷而富，其失也巫」所舉出的事例：

### 1. 申生之託狐突

《春秋》閔公二年記載，晉獻公令太子申生討伐東山皐落氏，里克諫勸，以為太子乃奉祀宗廟之人，不宜出征在外，獻公不從，仍令申生出征，狐突為申生駕駛戰車，將戰，狐突諫勸申生，國內獻公夫人驪姬專權，亂本已成，益先思考。《春秋》僖公四年，驪姬陷害申生，申生自殺。僖公九年，晉獻公卒，晉惠公立，僖公十年，狐突往曲沃，卻遇見了太子申生，太子使狐突登車為駕駛，並告之知狐突，晉惠公無禮，已請求天帝，加以懲罰，讓惠公為秦國所擊敗。又約定七日之後，在新城西邊，將可由巫人代表自己表達意見，言畢，遂不見。僖公十五年，秦穆公帥師伐晉，與晉惠公戰於韓原，虜晉惠公而歸，秦穆公夫人穆姬，為惠公之姐，要脅穆公，穆公乃釋惠公而歸晉。

《左傳》記申生之事，死後靈威弈弈，尚能降禍於人，故楊士勛指《左傳》多鬼神之事，預言禍福之期，即范甯所指「其失也巫」之事例。

### 2. 荀偃死不受含

《春秋》襄公十八年，齊國侵犯魯國，魯襄公聯合各國諸侯，包圍齊國，襄公十九年，晉國大夫荀偃，頭部生了惡瘡，眼珠突出在外，死後，眼睛不能閉攏，口不能張開，不能依照習俗放置珠玉在口中，經過欒盈安撫荀偃的身體，答應荀偃繼續進行對齊國的戰爭，荀偃的屍體才閉上了眼睛，開口接受了含玉的禮俗。

這也是《左傳》記事「其失也巫」的一個例子。

**3. 伯有之厲**

《春秋》襄公三十年記載，鄭國大夫伯有，性嗜酒，不務政事，既而大夫子皙帥甲士焚燒伯有之家，伯有酒醒之後，方才知道，乃逃往許國。鄭簡公於太廟中，與眾大夫結盟，討伐伯有，伯有死於羊肆之中。

昭公七年，伯有的鬼魂出現在鄭國，到處為祟，鄭國人民相互驚擾，相互驚告，「伯有來了」，而不知道要逃往何處，有人夢見伯有披著鎧甲而行，並且說，某日，將殺死駟帶，某日，將殺死公孫段。至期，帶、段二人果然死亡，鄭國人更加恐懼，鄭國大臣子產立伯有之子良止，以安撫伯有的鬼魂，伯有的鬼魂，才不再為祟。

**4. 彭生之妖**

《左傳》桓公十八年記載，魯桓公與夫人文姜一同前往齊國，桓公與齊襄公在濼地相會，齊襄公與文姜，兄妹通姦，為魯桓公得知，責備文姜，文姜告知齊襄公，襄公令公子彭生殺死魯桓公。魯國告知齊國，請殺彭生，襄公遂殺了彭生。魯莊公八年，齊襄公往貝丘狩獵，突見一巨大野豬，而侍從人員都說，看見的是公子彭生，襄公怒而以弓箭射之，野豬竟像人一般站立而大聲啼叫，襄公畏懼，從車上墜落，跌傷足部，失去鞋子，返回宮中，為叛賊所殺。

楊士勛從《左傳》中舉出四個事例，說明范甯批評《左傳》敘事的「艷而富」，是指「文辭可美之稱」，至於「其失也巫」，則是指《左傳》敘事「多鬼神之事，預言禍福之期」。

## 乙、楊士勛針對范甯評論《穀梁傳》「清而婉，其失也短」所舉出的事例：

### 1. 論隱公之小惠

《穀梁傳》隱公元年記載，魯惠公薨，惠公庶長子息姑，年紀較長，嫡子軌，年紀較幼，因此，息姑雖然繼立為君（隱公），卻時時想到將君位讓給軌，《穀梁傳》對此的看法是，「兄弟，天倫也，為子受之父，為諸侯受之君。已廢天倫而忘君父以行小惠，曰，小道也。若隱者，可謂輕千乘之國，蹈道則未也。」[15]認為隱公時時想要讓位給軌（後來之魯桓公）之行為，只是一種「小惠」私恩而已，不能稱得上是實踐了「大道」。

### 2. 論虞公之中知

《穀梁傳》僖公二年記載，晉獻公以屈地生產的駿馬，垂棘出產的玉璧，贈送給虞國，請求虞國借路給晉國軍隊經過，前往討伐虢國，卻擔心虞國的賢大夫宮之奇會加阻止，晉國大夫荀息判斷，虞君的智能，只在中等以下，必然不會接受宮之奇的諫勸。果然，借路之議提出，虞國大夫宮之奇力加諫勸，以為虞虢兩國，相互依存，有如脣與牙齒，虢國如果滅亡，虞國也將不保，如同脣亡而齒寒，但是，果如荀息所料，虞公不加採信，借道路給晉軍，晉軍借道伐滅虢國，五年之後，也將虞國滅亡。

以上二例，范甯所謂「清而婉」者，楊士勛解釋為「辭義清通」。

### 3. 元年大義而無傳

《春秋》隱公元年記曰：「元年，春，王正月。」《左傳》云：「元年，春，王周正月。」隱公元年，為西元前七二二年，周平王四十九年，《左傳》於此經文，加一「周」字，指明乃周代君王之正月。

《穀梁傳》於此，乃云：「雖無事，必舉正月，謹始也。」[16]言雖然無事可記，而舉出正月，則係鄭重記載隱公開始為君，並未闡釋《春秋》如此記載之義旨。

《公羊傳》於此，則云：「元年者何？君之始年也。春者何？歲之始也。王者孰謂？謂

---

15 楊士勛：《春秋穀梁傳注疏》卷一，（臺北，藝文印書館，一九九三年），頁九。

16 楊士勛：《春秋穀梁傳注疏》卷一，（臺北，藝文印書館，一九九三年），頁九。

文王也。曷為先言王而後言正月？王正月也。何言乎王正月？大一統也。」[17]針對《春秋》經文的記載，《公羊傳》採用自問自答的方式，一共回答了五個問題，首先，說元年是君的始年。其次，言春乃一年的開始。其三，言王乃是周文王。其四，先言王而後言正月，乃是專指文王的正月。其五，言王正月，乃是強調尊重周王朝的一統天下。這些，都是在闡發《春秋》開始記載而言「元年春王正月」大義所在。但是，《穀梁傳》對於《春秋》開始元年的大義，卻並未加以闡釋，因此，楊士勛將其列為《穀梁傳》「其失也短」的缺點之一例。

**4. 謂益師不日之惡**

《春秋》隱公元年記曰：「公子益師卒，大夫日卒，正也。不日卒，惡也。」范甯《春秋穀梁傳集解》云：「君之佐卿，是謂股肱，股肱或虧，何痛如之，故錄其卒日，以記恩。」又云：「（不日卒，惡也）罪故略之。」[18]言大夫之卒，《春秋》記錄日期，是表彰他的善行，不記錄日期，是表示他的過惡。

楊士勛《春秋穀梁傳注疏》云：「五年冬十有二月辛巳，公子彄卒，僖十六年三月壬申，公子季友卒，皆書日，今不書日，故云惡之。益師之惡，經傳無文。蓋春秋之前，有其事也。」[19]謂益師不日之惡，范甯以為亦屬《穀梁傳》「其失也短」之事例之一。

以上二例，乃范甯所謂「其失也短」的例證。

## 丙、楊士勛針對范甯評論《公羊傳》「辨而裁，其失也俗」所舉出的事例：

### 1. 斷元年五始

《春秋》隱公元年記曰：「元年春，王正月。」《公羊傳》云：「元年者何？君之始年也。春者何？歲之始也。王者孰謂？謂文王也。曷為先言王而後言正月？王正月也。何言乎王正月？大一統也。」[20]《漢書・王褒傳》記王褒作〈聖主得賢臣頌〉云：「記曰，共惟《春秋》法五始之要。」顏師古注云：「元者氣之始，春者四時之始，王者受命之始，正月者政教之始，公即位者一國之始，是為五始。」[21]

《公羊傳》對《春秋》「元年春王正月」之記載，闡發「五始」之義蘊，故楊士勛舉為《公羊傳》「辨而裁」優點之例證，范甯所謂之「辯而裁」，楊士勛解釋為「辯謂說事分明，裁謂善能裁斷」，又言，「舊解以為裁謂才辯，恐非也」。

### 2. 益師三辭

17 徐彥：《春秋公羊傳注疏》卷一，（臺北，藝文印書館，一九九三年），頁八。
18 楊士勛：《春秋穀梁傳注疏》卷一，（臺北，藝文印書館，一九九三年），頁十二。
19 楊士勛：《春秋穀梁傳注疏》卷一，（臺北，藝文印書館，一九九三年），頁十二。
20 徐彥：《春秋公羊傳注疏》卷一，（臺北，藝文印書館，一九九三年），頁八。
21 班固：《漢書》卷六十四下，（臺北，鼎文書局，一九九一年），頁二八一四。

《春秋》隱公元年記：「公子益師卒。」《公羊傳》云：「何以不日？遠也。所見異辭，所聞異辭，所傳聞異辭。」何休《春秋公羊傳解詁》云：「所見者，謂昭定哀，己與父時事也。所聞者，謂文宣成襄，王父時事也。所傳聞者，謂隱桓莊閔僖，高祖曾祖時事也。異辭者，見恩有厚薄，義有深淺。」[22]公羊學家將《春秋》十二公二百四十二年之間，區分為所傳聞世、所聞世、所見世等三個時期。

何休《春秋公羊傳解詁》又云：「於所傳聞之世，見治起於衰亂之中，用心尚麤觕，故內其國而外諸夏，先詳內而後治外，……於所聞之世，見治升平，內諸夏而外夷狄……至所見之世，著治太平，夷狄進至於爵，天下遠近小大若一，用心尤深而詳。」[23]藉春秋二百四十二年之中，區分為三世的進化歷程，說明人類由野蠻而逐漸進化到文明的三種歷程。

### 3. 美惡不嫌同辭，貴賤不嫌同號

《春秋》隱公七年記：「滕侯卒。」《公羊傳》云：「何以不名？微國也。微國，則其稱侯何？不嫌也。《春秋》貴賤不嫌同號，美惡不嫌同名。」[24]滕侯之卒，《春秋》並未依照慣例，記錄滕侯之名。《公羊傳》以為，滕國只是小國，小國之君薨，本可不記其名。但是，既是小國，《春秋》何以又稱「滕侯卒」呢？春秋五等爵位，公侯伯子男，公侯是大國，子男才是小國，滕國既是小國，則《春秋》何以又稱滕君為「滕侯」呢？何休《公羊解詁》云：「若齊亦稱侯，滕亦稱侯，微者亦稱人，貶亦稱人，皆有起文。」[25]解釋說，這並

不會造成誤會，因為，在《春秋》其他的地方，滕國經常稱「子」，讀者並不會誤認滕國為大國，《春秋》此處稱滕國之君為「侯」，是特別褒揚滕君的善行，而偶一稱「侯」，以顯現特殊的含義，所以《公羊傳》說是「貴賤不嫌同號」。指貴者賤者有時可以同用一個稱號，但意義卻並不相同。

至於「美惡不嫌同名」，何休《公羊解詁》云：「若繼體君亦稱即位，繼弒君亦稱即位，皆有起文。」[26]《春秋》記錄舊君薨，新君繼立，都用「即位」二字，但是，舊君薨，新君立，卻有兩種情形，一種是舊君壽終正寢，其子依法繼立，一種是舊君為新君所弒，從而繼之為君，對這兩種情形，《春秋》都用「即位」去記錄新君之立，並不是不分善惡，而是利用別的方式，去加以說明判斷，徐彥《春秋公羊傳注疏》云：「前君之薨，書地者，起其後即位者，是繼體之君也，若前君薨，不地者，起其後即位者，非是繼體之君也。」[27]因

22 徐彥：《春秋公羊傳注疏》卷一，（臺北，藝文印書館，一九九一年），頁十七。
23 徐彥：《春秋公羊傳注疏》卷一，（臺北，藝文印書館，一九九一年），頁十七。
24 徐彥：《春秋公羊傳注疏》卷一，（臺北，藝文印書館，一九九一年），頁三十七。
25 徐彥：《春秋公羊傳注疏》卷一，（臺北，藝文印書館，一九九一年），頁三十七。
26 徐彥：《春秋公羊傳注疏》卷一，（臺北，藝文印書館，一九九一年），頁三十八。
27 徐彥：《春秋公羊傳注疏》卷三，（臺北，藝文印書館，一九九一年），頁三十八。

此，《春秋》並非是不分是非善惡，而是用前君之薨，「書地」與否，來指明新君是「繼體」或是「繼弒」，是「善」抑或「惡」，並不是不論是非，因此，僅就「即位」一辭而言，似乎是「美惡不嫌同辭」，其實是美惡是非的判斷，《春秋》另有表示的方式。

以上三者，是楊士勛舉出《公羊傳》「辯而裁」的事例。

### 4. 單伯之淫叔姬

魯文公之女子叔姬，嫁給齊昭公，生子名舍。文公十四年，五月，齊昭公卒，舍繼為齊君，七月，齊公子商人，殺公子舍，魯國上卿襄仲請示周天子下令，讓子叔姬從齊國返回魯國，冬天，周天子令卿士單伯前往齊國，齊君逮捕單伯，拘禁子叔姬，《春秋》文公十四年記曰：「冬，單伯如齊，齊人執單伯，齊人執子叔姬。」《公羊傳》云：「單伯之罪何？道淫也。淫乎子叔姬。然則曷為不言齊人執單伯及子叔姬？內辭也，使若異罪然。」[28]齊國逮捕單伯，主要的理由是，子叔姬是齊國國君的夫人，而周之卿士單伯，卻與子叔姬在途中淫亂，故逮捕單伯，而拘禁子叔姬，但《春秋》以魯史紀年，以魯國為依準，《春秋》不言齊人拘捕單伯及子叔姬，主要是為魯國隱諱，只言「齊人執單伯」，只言「齊人執子叔姬」，使人覺得二人的被拘執，其罪狀並不是由於同一件事情。

### 5. 鄫子之請魯女

《春秋》僖公十四年記載：「夏六月，季姬及鄫子遇於防，使鄫子來朝。」《公羊傳》

云：「鄫子曷為使乎季姬來朝。內辭也。非使來朝，使來請己也。」何休《公羊傳解詁》云：「使來請娶己以為夫人，下書歸是也。禮，男不親求，女不親許，魯不防正其女，乃使要遮鄫子淫泆，使來請己，與禽獸無異，故卑鄫子使乎季姬，以絕賤之也。」[29]

《公羊傳》以為，魯僖公之女季姬，與鄫國之君在防地相見，季姬使鄫子往魯國朝見僖公，主要是想要鄫子來魯國請求娶季姬為妾。何休認為，依照禮俗，男子不親自求婚，女子不親自許婚，而季姬與鄫子的行為，都不合乎禮俗的規範，故此皆加以賤視。

但是，《左傳》對於此事，卻有不同的記載，《左傳》記載，季姬已嫁給鄫子為夫人，但鄫子卻長期不來魯國朝見魯君，當季姬返回魯國歸寧父母之時，僖公非常生氣，留住季姬不讓她返回鄫國夫家，夏天，季姬與鄫子在魯國的防地相見，季姬使鄫子前來魯國朝見僖公。

《左傳》的記載及對《春秋》的解釋，較為合理，故楊士勛舉出《公羊傳》此事為例，指為《公羊傳》「其失也俗」的事例之一。

### 6. 論叔術之妻嫂是非

28 徐彥：《春秋公羊傳注疏》卷十四，（臺北，藝文印書館，一九九一年），頁一八〇。

29 徐彥：《春秋公羊傳注疏》卷十四，（臺北，藝文印書館，一九九一年），頁一八〇。

《春秋》昭公三十一年記載，當邾婁國國君為顏之時，因為邾婁女子有為魯君夫人者，邾婁顏得因此便利，在魯君宮中，奸淫國君之女九人，並收買賊人，而殺魯懿公。當魯君被殺時，魯孝公尚年幼，由乳母易己子抱持而逃，而往訴於周天子，周天子乃人令殺顏，而立顏之弟叔術為邾婁國君，並送孝公返回魯國。顏之夫人，生為國色，曾言，有人能殺殺顏者，願為其妻。叔術乃為其殺殺其兄顏之人，於是以其嫂為妻。其後，並將國君之位，讓給顏之子夏父，《公羊傳》云：「叔術者，賢大夫也。」又云：「何賢乎叔術？讓國也。」[30] 叔術之以嫂為妻，違逆人倫，《公羊傳》竟以其為賢大夫，故楊士勛舉此事以為《公羊傳》「其失也俗」的例證之一。

### 7. 說季子之兄弟飲食

《左傳》莊公三十二年記載，魯莊公當初築高臺，臨近大夫黨氏之家，見到黨氏之女孟任，許以為夫人，生子般。等到莊公病重，向其二弟叔牙詢問繼位之人，叔牙問答，公子慶父具有才幹，可繼位為君。又向三弟季友詢問，季友堅決推薦公子般。莊公告以叔牙已推薦慶父。季友乃派人用國君之名義，以毒酒賜叔牙，並且命令叔牙，如飲毒酒，則可以在魯國保全後代，不飲毒酒，則死後也不能保全後代在魯國。叔牙於是飲下毒酒而死，莊公乃立叔牙之後裔為叔孫氏。《公羊傳》云：「季子殺母兄何善爾？誅不得避兄，君臣之義也。然則曷為不直誅而酖之？行誅乎兄，隱而逃之，使託若以疾死然，親親之道也。」[31]《公羊傳》

以為，叔牙已擁有兵械，欲自弒君，故以國君之命令叔牙飲毒酒而自殺，同時，也是要為季友隱諱，造成叔牙似乎是死於疾病的印象。

對於季子的殺害同母之兄，違反人性的行為，《公羊傳》卻加以稱善，故楊士勛舉此為《公羊傳》「其失也俗」的例證之一。

以上是楊士勛對於范甯綜合評論《春秋》三傳之意見，而舉出事例，加以佐證者。

## 四、結語

《後漢書・馬融傳》記載，馬融曾經撰有《三傳異同說》一書，評論三傳異同者，此書當屬最早，唯其書久已亡佚。

三國時，鄭玄撰有〈六藝論〉，其中有言：「《左氏》善於禮，《公羊》善於讖，《穀梁》善於經。」[32]也曾評論三傳之特色，但所言甚為簡略。

30 徐彥：《春秋公羊傳注疏》卷二十四，（臺北，藝文印書館，一九九一年），頁三〇七。

31 徐彥：《春秋公羊傳注疏》卷九，（臺北，藝文印書館，一九九一年），頁一一二。

32 引見楊士勛：《春秋穀梁傳注疏》，（臺北，藝文印書館，一九九三年），頁三。

東晉時，范甯撰《春秋穀梁傳集解》一書，於〈自序〉中，評論三傳異同得失，較鄭玄所論，更為明確，故本文之作，即專就范甯所評三傳之意見，引證三傳，加以分析，以印證范甯對於三傳之評論，是否適當，同時，也引用楊士勛在《春秋穀梁傳注疏》中對范甯意見的舉例，略加說明，目的皆在使得范甯所評三傳得失的意見，更加明瞭，以供參考。

經過前兩節之分析，約可得到一些意見，作為結語，寫在下面：

1.范甯舉出六件事例，說明三傳之中，各有「傷教害義，不可強通」之處，此六件事例，《春秋》三傳，各舉二例，但是，在此六件事例之中，范甯所見，有頗為恰當者，如「左氏以鬻權兵諫為愛君」、「衛輒拒父為尊祖」，也有所見不免蔽於一曲，不必即為通達之論者，如「文公納幣為用禮」、「不納子糾為內惡」、「祭仲廢君為行權」、「妾母稱夫人為合正」，則不必即屬恰當之見解。

2.就范甯所舉六件事例而言，如自另一角度觀察，也正可反映出《春秋》三傳各自之特色，《左傳》以記事周詳為主，所追尋之目標為「求真」。《公羊傳》以道德判斷為主，所追尋之目標為「求善」。《穀梁傳》以解釋經義為主，所追尋之目標為「求美」。（傳文簡潔，亦為美之表現）。

3.范甯在《春秋穀梁傳集解・序》中曾經言及：「凡傳以通經為主，經以必當為理。夫至當無二，而三傳殊說，庸得不棄其所滯，擇善而從乎？既不俱當，則固容俱失。若至言幽絕，擇善靡從，庸得不並舍以求宗，據理以通經乎？雖我之所是，理未全當，安可以得當之難而自絕於希通哉！」三傳皆在解經，若三傳所解，各有不同，則范甯提出寧捨三傳，「據理以求通經」的辦法，范甯所稱之「理」，應屬「人情物理」，遍在人心之中者，也符合孔子所言之倫理，但並非宋儒以下所謂「天理人欲」之「理」。

4. 范甯在《春秋穀梁傳集解·序》中又言：「《左氏》艷而富，其失也巫。《穀梁》清而婉，其失也短。《公羊》辯而裁，其失也俗。若能富而不巫，清而不短，裁而不俗，則深於其道者也，故君子之於《春秋》，沒身而已矣。」三傳傳至後世，蓋已定型，求其富而不巫，清而不短，裁而不俗，則在讀三傳之書者，善用其智慧判斷，截長棄短而已，故范甯言，「君子之於《春秋》，沒身而已矣。」

# 柒、陳岳《春秋折衷論》析評

## 一、引言

《春秋》之學，發展至唐代，貞觀年間，太宗詔令孔穎達與諸儒，撰定《五經正義》[1]，其中《左傳正義》一書，專疏杜預《集解》，由是杜注之學，定於一尊。

及至玄宗開元天寶以後，啖助、趙匡、陸質等人[2]，鑽研《春秋》，以為三《傳》之說，多未能通達《春秋》大旨，因是不守注疏，不遵三《傳》，而專於《春秋》一書，直探古經義趣。啖助所撰《春秋集傳集注》及《春秋統例》，趙匡所撰《春秋闡微纂類義統》，

1 唐太宗貞觀七年（西元六三三年），頒定《五經正義》。

2 啖助生於唐玄宗開元十二年，卒於代宗大曆五年（西元七二四—七七〇年），趙匡之生卒年不詳，陸質生於玄宗開元二十九年，卒於德宗貞元二十一年（西元七九六—八〇五）。

均已亡佚，陸質所著《春秋集傳纂例》十卷、《春秋集傳辨疑》十卷、《春秋集傳微旨》三卷，尚存。稍後，盧仝撰《春秋摘微》，韓愈譽之，以為「就經明經」，是真能「《春秋》三《傳》束高閣，獨抱遺《經》究終始」[3]者也。

至於晚唐時期，吉州廬陵人陳岳，著《春秋折衷論》三十卷，《崇文總目》曰：「以三家異同三百餘條，參求其長，以通《春秋》之義。」[4]晁公武《郡齋讀書志》曰：「其書以《左傳》為上，《公羊》為中，《穀梁》為下，比其異同而折衷之。」[5]

陳岳之書，元代以後，已經亡佚，馬國翰《玉函山房輯佚書》據章如愚《群書考索》續集，輯得二十六節（馬云二十七節，誤），及〈序〉一篇，又據程端學《春秋本義》輯得四節，總計為三十節，合為一卷。馬國翰曰：「原書三十卷，三百餘條，此雖十不存一，然大旨可觀，足與啖、趙、陸三家，抗衡唐代矣。」[6]

陳岳《春秋折衷論．自序》曰：「聖人之道，以《春秋》而顯，聖人之文，以《春秋》而高，聖人之文，以《春秋》而微，聖人之旨，以《春秋》而奧，入室之徒，既無演釋，故後之學者，多失其實，是致三家之《傳》，並行於後，俱立學官焉」。又曰：「《左氏》多長，《穀梁》多短，然同異之理，十之六七也。」[7]

陳岳之書，馬國翰輯得一卷之外，中央研究院中國文哲研究所出版之《點校補正經義考》[8]，於陳岳之書，也據章如愚《群書考索》續集輯得二十六條，而其中文字，與馬氏所輯出者，或有不同，正可以相互參校，以求其是，唯《點校補正經義考》，於陳岳之書，未據程端學《春秋本義》，多輯得四條耳。

以下，即據馬氏所輯陳岳之書，參以《點校補正經義考》所輯出者，並檢覈章如愚《群書考索》（新興書局影印本）、程端學《春秋本義》（通志堂經解本）所引述者，略事枚舉，並加分析，其有文字之異同者，如有涉及《經》義之大者，則加注明。以見陳書內容之一斑焉。

## 二、析　評

### (一)論「元年春王正月」

3 見韓愈：〈寄盧仝〉，載《韓昌黎全集》卷五，（臺北，中華書局《四部備要》本）。
4 王堯臣：《崇文總目》，喬衍琯：《書目續編》本，（臺北，廣文書局，一九六八年）。
5 晁公武：《郡齋讀書志》，喬衍琯：《書目續編》本，（臺北，廣文書局，一九六八年）。
6 馬國翰：《玉函山房輯佚書》，（臺北，大通書局，一九七四年）。
7 馬國翰：《玉函山房輯佚書》，（臺北，大通書局，一九七四年）。
8 朱彝尊原著，中央研究院中國文哲研究所點校：《點校補正經義考》，（臺北，一九九七年）。

《春秋》隱公元年曰：「春，王正月。」《左氏》謂周平王，《公羊》謂周文王，《穀梁》謂周平王。

陳岳《春秋折衷論》曰：

《春秋》所以重一統者，四海九州，同風共貫，正王道之大範也，迺以月次正，正次王，王次春，春次年，年次元，斯五者，編年紀事之綱領也，故書王以統之，在乎尊天子，卑諸侯，正升黜，垂勸懲，作一王法，為萬代規，俾其禮樂征伐不專於諸侯也，故用隱之元，統平之春，存平之正，得不書平王歟！苟曰周書始命之王，則二年復書何王？必不然也，平王明矣，斯《公羊》之短，《左氏》、《穀梁》，得其實矣。9

今案杜預〈左傳序〉曰：「然則《春秋》何始於魯隱公？答曰，周平王，東周之始王也，隱公，讓國之賢君也，考乎其時則相接，言乎其位則列國，本乎其始，則周公之祚胤也，若平王能祈天永命，紹開中興，隱公能弘宣祖業，光啟王室，則西周之美可尋，文武之跡不隊。」又曰：「所書之王，即平王也，所用之曆，即周正也，所稱之公，即隱公也。」10考周武王克商紂王，統一天下（時為西元前一一二二年），建都於鎬，成王因之，十一傳，而至幽王，申侯率犬戎入寇，弒幽王，幽王之子宜臼，立為平王，元年（西元前七七〇年），遷都洛邑，以避戎寇，是為東周；魯隱公名息姑，乃惠公之子，有讓國之賢名，孔穎達《左傳正義》曰：「隱公之初，當平王之末，是相接也。」又曰：「平王四十九年而隱公即位，隱公三年而平王崩，是其相接也。」此「《左傳》家」以隱公元年「王正月」為平王之說也。又《公羊傳》曰：「元年者何？君之始年也，春者何？歲之始也，王者孰謂？謂文王也。」何休《解詁》曰：「以上繫王於春，知謂文王也，文王，周始命之王，天之所命，故上繫天端，方陳受命，制正月，故假以為王法，不言謚者，法其生，不法其死，與後王共之，人道之始也。」徐彥《公羊注疏》曰：「孔子方陳新王受命，制正月之事，故假取文王，創始受命，制正朔者，將來以為法，其實為漢矣。」[11]陳立《公羊義疏》曰：「《春秋》有五始之義，春者四時之始，王者受命之始，繫王於春，明王為受命之王，故宜謂文王矣。」[12]此「《公羊》家」以隱公元年「王正月」為文王之說也。又范甯〈春秋穀梁傳序〉

9 馬國翰：《玉函山房輯佚書》，（臺北，大通書局，一九七四年）。此據馬氏輯本，並參考《點校補整經義考》所引述者，其有異同，則加注明。

10 孔穎達：《左傳注疏》卷二，（臺北，藝文印書館，一九九三年），頁十八。

11 徐彥：《公羊傳注疏》卷一，（臺北，藝文印書館，一九九三年），頁八。

12 陳立：《公羊義疏》卷一，（臺北，臺灣商務印書館，一九八二年），頁十四。

曰：「昔周道衰陵，乾綱絕紐，禮壞樂崩，彝倫攸斁，弒逆篡盜者國有，淫縱破義者比肩。」又曰：「孔子睹滄海之橫流，迺喟然而嘆曰，文王既沒，文不在茲乎！言文王之道喪，興之者在己，於是，就大師而正雅頌，因魯史而修《春秋》，列〈黍離〉於《國風》，齊王德於邦君，所以明其不能復雅，政化不足以被群后也。於時則接乎隱公，故因茲以託始。」楊士勛《穀梁傳注疏》曰：「平王四十九年，隱公之元年，故曰接乎隱公，亦與惠公相接，不託始於惠公者，以平王之初，仍賴晉鄭，至於末年，陵替尤甚，惠公非是微弱之初，故不託始於惠公，隱公與平王相接，故因茲以託始也。」[13]此「《穀梁》家」以隱公元年「王正月」為平王之說也。陳岳綜舉三《傳》之說，以為《春秋》之作，在於「作一王法，為萬代規」，以垂型萬世，故即用魯隱公之元年，託以周平王之春天，並保存周平王在周代歷史上之正統地位，所以指隱公元年春之「王正月」，實明示即周平王，否則，不以平王居首編年，則隱公二年，陳岳以為，則又將以周代何王為論？故陳岳以為，《左氏》、《穀梁》之說，為得其實。

## (二)論「鄭忽出奔衛」

《春秋》桓公十一年：「鄭忽出奔衛。」《左氏》曰：「祭仲與宋人盟，以厲公歸而立之，秋，九月，昭公奔衛，己亥，厲公立。」《公羊》曰：「忽何以名？《春秋》伯子男，一也，辭無所貶。」《穀梁》曰：「其名，失國也。」

陳岳《春秋折衷論》曰：

忽，太子也，兄也，正也；突，公子也，弟也，非正也；忽既立，則祭仲之君，以君臣之義，顛則扶之，危則持之，力不足則死之，又知突在宋，非會非聘，為宋所誘，其無謀甚矣，往而被執，不能死節，歸立厲公。14

今案《左傳》記載，鄭莊公有子四人，分別名忽（後立為鄭昭公）、突（後立為鄭厲公）、亹、儀，太子忽曾領兵救齊，大敗北戎，齊君將妻以文姜，忽曰：「人各有耦，齊大，非吾耦也。」乃拒之。及鄭莊公卒，大臣祭仲立太子忽，是為昭公。後祭仲赴宋，宋人誘迫祭仲，令立公子突（為宋女之子），祭仲返國，乃立公子突為厲公，昭公因而出奔於衛。《公羊傳》以為，《春秋》對伯子男三等爵位，一律稱名，因此，於此處稱忽之名，也並無貶低之意。《穀梁傳》以為，「鄭忽者，世子忽也，其名，失國也」，稱忽之名，而不稱其為昭

---

13 楊士勛：《穀梁傳注疏》卷一，（臺北，藝文印書館，一九九三年），頁三。

14 馬國翰：《玉函山房輯佚書》，（臺北，大通書局，一九七四年）。

公或世子，乃是因其失去國君之位。陳岳於三《傳》之外，則深斥祭仲，身為大臣，既不能扶顛持危，忠於其君，又不能拒誘拒謀，以死殉國，反畏懼死亡，屈從宋人，廢君而又立君，出爾反爾，但求利己，故乃深加斥責，辭甚嚴而義極正也。

### (三) 論「秋，大水，鼓，用牲于社于門」

《春秋》莊公二十五年：「秋，大水，鼓，用牲于社于門。」《左》曰：「非常禮也。」《公》曰：「於社，禮也；于門，非禮也。」《穀》曰：「既戒鼓以駭眾，用牲可以已矣」。

陳岳《春秋折衷論》曰：

凡書災異多矣，大則日月之食，小則水旱之災，夫正陽之月，陰氣未作，不宜侵陽，苟月掩日，則臣掩君之象，是以伐用幣；正陽既過，則一陰生，為災輕也，故日食，不伐鼓用幣矣，得禮正也。如水旱之災，則國之常，不繫于君臣順逆，故但書記其為災而已，斯伐鼓用幣者，譏其非常也，《左》得其旨。15

今案《左傳》云：「夏，六月，辛未朔，日有食之，鼓，用牲于社，非常也，唯正月之朔，慝未作，日有食之，於是乎用幣于社，伐鼓于朝。秋，大水，鼓，用牲于社于門，亦非常也。凡天災，有幣無牲，非日月之眚，不鼓。」[16] 以為唯有正月初一，發生日蝕，才可以擊鼓於朝庭，用布帛祭於社廟，如在秋天發生巨大水災，也在朝廷擊鼓，用牛羊牲犧祭祀社神與門神，則非經常之禮儀。《公羊傳》以為，秋天發生巨大水災，則可以擊鼓於朝廷，但用牛羊犧牲祭祀社神，雖合於禮儀，但用以祭祀門神，則不合於禮儀。《鼓梁傳》以為，秋天發生巨大水災，既已鳴擊鼓聲，警戒民眾，則以犧牲牛羊祭祀社神，似可不必再用。對於三《傳》不同的解釋，陳岳以為，適逢正月，陽氣方盛，如係發生日蝕，有下臣掩蔽君上之象，則是可以擊鼓示警，用幣祈福。如果不在正月，發生日蝕，則為災尚輕，雖不鳴鼓用幣，也仍屬得禮之正。而水災旱災，則是世事之常態，與君臣順逆，並無關涉，擊鼓用牲，似也不必，故陳岳以為，《春秋》此條之義，《左傳》所說，最能得其旨要。

## (四) 論「齊人來歸鄆讙龜陰之田」

《春秋》定公十年記曰：「齊人來歸鄆、讙、龜陰之田。」《左氏》曰：「孔子受盟，

15 馬國翰：《玉函山房輯佚書》，（臺北，大通書局，一九七四年）。

16 孔穎達：《左傳注疏》卷十，（臺北，藝文印書館，一九九三年），頁一七四。

請反汶陽之田。」《公羊》曰：「行乎，季孫，三月不違，齊人來歸之。」《穀梁》曰：「罷會，齊人使優俳施舞于魯君之幕下，孔子曰，笑君，罪當死，乃使殺之，齊人為是歸之。」

陳岳《春秋折衷論》曰：

> 齊魯，甥舅之國，代為婚姻，時或侵或伐，或平或隳，靡有所定，故上書「春，及齊平」，次書「夏，公會齊侯于夾谷」，終書「齊來歸鄆讙龜陰之田」，是二國平和之後，會于夾谷，齊侯使萊人以兵劫公，尼父以公退，以大義沮之曰：「於德為愆義，於人為失禮，君必不然。」齊人聞，遽辟之，乃盟曰：「齊師出境，不以三百乘從我者，有如此盟。」尼父曰：「不反汶陽之田，吾以供命者，亦如之。」故齊人來歸所侵之田。噫！齊，強國也，魯，弱國也，以力爭之不可也，以勢競之不可也，惟可以義服之，以言折之，聖人用是，而齊沮其謀，反其田，斯《左氏》得其旨，《公羊》、《穀梁》皆短。[17]

今案《左傳》定公九年，魯大夫陽虎率士卒入於讙及陽關，因以叛魯而奔齊，十年，魯定公會齊景公於夾谷，孔子隨行，相禮，遂為盟。陳岳《春秋折衷論》所敘，至「故齊人來歸所侵之田」以上，即本於《左傳》之記事。《公羊傳》以為，孔子於魯國季孫氏掌權時，為政行道，三月之中，鮮少違失，且有政聲，故齊侯遂歸還汶陽之田，以示修好。《穀梁傳》以為，夾谷之會，既盟，齊人以優施舞於魯君之前，欲以諷之，孔子嚴辭斥責，乃加之刑，齊人震駭，因歸還汶陽之田。綜舉三《傳》不同之說，陳岳以為，齊強魯弱，唯孔子能以道義之立場，說之以嚴正之言論，以理折之，所言「裔不謀夏，夷不亂華，俘不干盟，兵不逼好」，方是光明正大之行為，否則，如齊侯唆使蠻夷萊人，以兵力劫持魯侯，則此種行為，「於神為不祥，於德為愆義，於人為失禮」，經由孔子之嚴正聲明，方才使得「齊沮其謀，反其田」，所以，陳岳以為，《左氏》得其旨，《公羊》、《穀梁》皆失也。

### (五)論「春用田賦」

《春秋》哀公十二年：「春，用田賦。」《杜》曰：「邱賦之法（馬氏輯本邱作「兵」），因其田，通出馬一匹，牛三頭，今欲別其田及家財，各為一賦，故言田賦。」《公》曰：「軍賦十井，不過一乘，今復用田賦，過十一也。」《穀》與《杜》同。

陳岳《春秋折衷論》曰：

17 馬國翰：《玉函山房輯佚書》，（臺北，大通書局，一九七四年）。

《春秋》常賦不書，苟書之，必識其重斂也，復書用田賦，可知其害人矣，謂作者不宜作，謂用者不宜用，皆聖人之微文也，自作邱甲之後，已破十一之稅矣，田賦軍賦，本通出馬一匹牛三頭，今別為田，明矣，《杜氏》、《穀梁》得其旨。[18]

今案《春秋》哀公十二年記曰：「春，用田賦。」指按田畝多少以徵稅徵兵。《左傳》哀公十一年曰：「季孫欲以田賦，使冉有訪於仲尼，仲尼曰，丘不識也，三發，卒曰，子為國老，待子而行，若之何子之不言也，仲尼不對，而私於冉有曰，君子之行也，度於禮，施取其厚，事舉其中，斂從其薄，如是，則以丘，亦足矣。」《杜預注》曰：「丘賦之法，因其田財，通出馬一匹，牛三頭，今欲別其田及家財，各為一賦，故言田賦。」又曰：「丘，十六井，出戎馬一疋，牛三頭，是賦之常法。」[19]又《公羊傳》曰：「何以書？譏，何譏爾？譏始用田賦。」何休《解詁》曰：「禮，稅民公田，不過什一，軍賦，十井不過一乘，哀公外慕強吳，空盡國儲，故復用田賦，過十一。」[20]又《穀梁傳》曰：「古者公田什一，用田賦，非正也。」范甯《注》曰：「古者九夫為井，十六井為丘，丘賦之法，因其田財，通共出馬一匹，牛三頭，今別其田及家財，各出此賦，言用者，非所宜用。」又曰：「古者五口之家，受田百畝，為官田十畝，是為私得其什，而官稅其一，故曰什一，周謂之徹，殷謂助，夏謂之貢，其實一也，皆通法也，今乃棄中平之法，而田財並賦，言其賦民甚矣。」[21]

是則三《傳》所論，杜預、何休、范甯所釋，義多相近，皆與孔子所謂「斂從其薄」之意相合，不欲於丘賦之外，別用田賦也，陳岳專謂《穀梁》、《杜氏》得其旨，所見則似稍偏。

## (六)論「西狩獲麟」

《春秋》哀公十四年：「西狩獲麟。」《左氏》曰：「獲麟者，仁獸，聖王之瑞。」《公羊》曰：「非中國之獸。」《穀梁》曰：「不外麟于中國也。」

陳岳《春秋折衷論》曰：

《春秋》書災異，不書祥瑞，斯麟者瑞也，曷以書之者？非為祥瑞而書，以聖人感麟至而書也。夫言祥瑞，豈限中國四夷歟！苟以非中國之物而為瑞，則西域獻吉光獸之類，皆原為瑞，必不然矣，蓋取其隱見不常，天下有道則至，為瑞明矣，然《公羊》曰：「顏回死，子曰，天喪予。子路死，子曰，天祝予。」西狩獲麟，為仲尼之應，

18 馬國翰：《玉函山房輯佚書》，（臺北，大通書局，一九七四年）。
19 孔穎達：《左傳注疏》卷五十八，（臺北，藝文印書館，一九九三年），頁一〇一九。
20 徐彥：《公羊傳注疏》卷二十八，（臺北，藝文印書館，一九九三年），頁三五二。
21 楊士勛：《穀梁傳注疏》卷二十，（臺北，藝文印書館，一九九三年），頁二〇三。

顏回子路，則聖人重愛之弟子也，聞其死，曰，天喪予者，皆痛惜之辭，安可以獲麟為比？麟鳳則王者之瑞，既出，無其應，聖人迺感麟而起，以修《春秋》，麟出既非為己，《春秋》修亦非為己，蓋懲惡勸善，為百世之法，如河不出圖，洛不出書，吾已矣夫，斯皆為周德之衰，無明王之應，非為己也。孟軻謂仲尼之道，高於堯舜，何道窮之有？《左氏》得其實，《公羊》、《穀梁》之短也。[22]

今案《左傳》曰：「春，西狩於大野，叔孫氏之車子鉏商獲麟，以為不祥，以賜虞人，仲尼觀之曰，麟也，然後取之。」杜預《注》曰：「麟者仁獸，聖王之嘉瑞也，時無明王，出而遇獲，仲尼傷周道之不興，感嘉瑞之無應，故因魯《春秋》而修中興之教，絕筆於獲麟之一句，所感而作，固所以為終也。」孔穎達《左傳注疏》曰：「以聖人之生非其時，道無所施，言無所用，與麟相類，故為感也，仲尼見此獲麟，於是傷周道之不興，感嘉瑞之無應，故因魯《春秋》文加褒貶，而修中興之教，若能用此道，則周室中興，故謂《春秋》為中興之教也。」[23]此為《左傳》之說，主要在於孔子自傷生非其時，與麟相似，故感慨而作《春秋》。又《公羊傳》曰：「何以書？記異也，何異爾？非中國之獸也，然則孰狩之？薪采者，薪采者，則微者也，曷為以狩言之？大之也，曷為大之？為獲麟大之也，曷為獲麟大之？麟者仁獸，有王者則至，無王者則不至，有以告者曰，有麇而角者，孔子曰，孰為來哉！孰為來哉！反袂拭面，涕沾袍，顏淵死，子曰，噫！天喪乎！子路死，子曰，噫！天祝予！西狩獲麟，孔子曰，吾道窮矣。《春秋》何以始乎隱？祖之所逮聞也，所見異辭，所聞異辭，所傳聞異辭，何以終乎哀十四年？曰，備矣。君子曷為為《春秋》？撥亂世，反諸正，莫近諸《春秋》。」何休《解詁》曰：「夫子素案圖錄，知庶姓劉季，當代周，見薪采者獲麟，知為其出，何者？麟者木精，薪采者，庶人燃米之意，此赤帝將代周居其位，故麟為薪采者所執，西狩獲之者，從東方王於西也，東、卯，西、金象也，言獲者，兵戈文也，言漢姓卯金刀，以兵得天下。」又曰：「夫子知其將有大國爭強，縱橫相滅之敗，秦項驅除，積骨流血之虞，然后劉氏乃帝，深閔民之離害甚久，故豫泣也。」又曰：「孔子仰推天命，俯察時變，卻觀未來，豫解無窮，知漢當繼大亂之后，故作撥亂之法以授之。」[24]此為《公羊傳》之說，主要在於指陳孔子預知周室將衰，劉季當興，故作《春秋》以授漢。又《穀梁傳》曰：「引取之也，狩，地，不地，不狩也，非狩而曰狩，大獲麟，故大其適也，其不言來，不外麟於中國也，其不言有，不使麟不恆於中國也。」范甯《注》曰：「夫〈關

22 馬國翰：《玉函山房輯佚書》，（臺北，大通書局，一九七四年）。
23 孔穎達：《左傳注疏》卷五十九，（臺北，藝文印書館，一九九三年），頁一〇三〇。
24 徐彥：《公羊傳注疏》卷二十八，（臺北，藝文印書館，一九九三年），頁三五五。

雎〉之化，王者之風，〈麟之趾〉，〈關雎〉之應也，然則斯麟之來，歸於王德者矣，《春秋》之文，廣大悉備，義始於隱公，道終於獲麟。」[25]此《穀梁傳》之說，主要以為《春秋》之書方成，而麒麟適至，是《春秋》正引領麒麟瑞應而至也。陳岳不取《公羊傳》之說，以為其說涉於虛誕，且《公羊傳》之說，孔穎達已自駁之，《左傳正義》曰：「案此時去漢二百七十有餘年矣，漢氏起於匹夫，先無王跡，前期三百許歲，天已豫見徵兆，其為靈命，何太遠乎！」（今案《春秋》獲麟，當西元前四八一年，漢高祖即帝位，當西元前二〇二年，相距約二七九年之久），陳岳以為，《穀梁傳》亦偏於比附，蓋陳岳以為，孔子修《春秋》，主要在於「懲惡勸善，為百世之法」，正求為後世建立是非善惡之準則，並非為一己私人之感慨，豈當有「吾道窮矣」之嘆息！故陳岳以為，《左傳》之說，能得其實也。

以上所枚舉者，雖僅六例，而陳岳之書，其論證之方式，判斷之準則，或亦可以窺見一斑。

## 三、結語

綜合前所分析討論者，約可得到幾點意見，以作本文之結語。

1. 《春秋》三《傳》，解說《經》義，已自不同，而古代學者，早已有人為之折衷討論，以見其異同得失者，據朱彝尊《經義考》所載，東漢馬融，已有《三傳異同說》，韓益有《春秋三傳論》，惜多已亡佚，唯馬融之書，《玉函山房輯佚書》，尚存有輯本。

2.唐代末葉，陳岳所撰《春秋異同評》三十卷，其所評論，凡三百餘條，篇幅當最為龐大，雖亦久佚，而馬國翰所輯錄者，尚得三十條，則僅居原書十分之一，此文之作，所剌取為例證者，僅舉六條，於輯本為五分之一，於陳岳原書，恐僅為五十分之一，但嘗鼎一臠，或亦可以略為窺見陳書之要旨。

3.晁公武《郡齋讀書志》以為，陳岳之書，「以《左傳》為上，《公羊》為中，《穀梁》為下」，其所謂上、中、下，義不顯豁，今考陳書輯本三十條，解釋《春秋》之義，其中以《左傳》之說為長者，約二十條（合杜預之注），以《穀梁傳》之說為長者，約九條，以《公羊傳》之說為長者，僅有一條。而明指釋《經》之誤者，《公羊傳》有十二條，《穀梁傳》有七條，《左傳》僅有三條。持與晁公武之說相比較，似不甚相符。

4.馬國翰《玉函山房輯佚書》所輯陳岳之書，附有元人吳萊所撰之〈春秋折衷論後序〉一篇，〈序〉文曾曰：「蓋昔漢儒，嘗以《春秋》斷獄，予謂非徒《經》法可以斷獄，而獄法亦可以斷《經》，何者？兩造之辭具備，則偏聽之惑，無自而至矣。」陳岳之書，折

25 楊士勛：《穀梁傳注疏》卷二十，（臺北，藝文印書館，一九九三年），頁二〇五。

衷三《傳》，以釋《春秋》，其用心，或亦如吳萊所言，去偏聽而求其是非也，其「折衷」三《傳》所得，大體而言，亦多數頗為公允也。

（此文原載於國立高雄師範大學經學研究所《經學研究集刊》第六期，二〇〇九年出版）

# 捌、《孟子》知言養氣章闡釋

## 一、引言

《孟子‧公孫丑上》中知言養氣一章，在孟子的思想學說之中，極為重要，歷來解釋此章意趣的學者，為數甚多。古代學者的著作，以東漢趙岐的《孟子章句》、南宋朱熹的《孟子集注》、清代焦循的《孟子正義》為代表。當代學者的著作，可以戴君仁教授的〈孟子知言養氣章〉（一九五四）、徐復觀教授的〈孟子知言養氣章試釋〉（一九五九）、蔡仁厚教授的〈孟子知言養氣章闡義〉（一九七一）、余培林教授的〈孟子知言養氣章釋義〉（一九八四）、黃俊傑教授的〈孟子知言養氣章集釋新詮〉（一九八八）、李明輝教授的〈孟子知言養氣章的義理結構〉（一九九五）為代表。

筆者溫習《孟子》此章，仍有一些自己的看法，書寫下來，以供參稽之用。

## 二、論「不動心」

《孟子・公孫丑上》云：

公孫丑問曰：「夫子加齊之卿相，得行道焉，雖由此霸王，不異矣。如此，則動心否？」孟子曰：「否，我四十不動心。」曰：「若是，則夫子過孟賁遠矣。」曰：「是不難，告子先我不動心。」[1]

《孟子》在此章之首，即由公孫丑提出一個假設性的問題，詢問其師孟子，假如孟子有機會擔任大國齊國的宰相，可以實踐自己的政治理念，使國家可以由此進而成就霸者王者一樣的事業，也都不足為怪。如果真有如此的機會，則在孟子本身，是否也會有所恐懼，擔心自己的能力不足，有負國家的重託，因而心中疑慮不安呢？

孟子堅定地回答，自己以擔當天下政治的重責而自勉自勵，從四十歲以後，即堅定此一信心，即使受到重責重託，也不會有所疑慮恐懼。如此的回答，公孫丑以為孟子較之古代的勇士孟賁，更為優越，孟子則回答，告子在較孟子更年輕時，即能不動其心。

《孟子・公孫丑上》又云：

曰：「不動心有道乎？」曰：「有。北宮黝之養勇也，不膚橈，不目逃，思以一毫挫於人，若撻之於市朝，不受於褐寬博，亦不受於萬乘之君，視刺萬乘之君，若刺褐夫，無嚴諸侯，惡聲至，必反之。孟施舍之所養勇也，曰：『視不勝猶勝也，量敵而後進，慮勝而後會，是畏三軍者也。舍豈能為必勝哉？能無懼而已矣。』孟施舍似曾子，北宮黝似子夏。夫二子之勇，未知其孰賢，然而孟施舍守約也。昔者曾子謂子襄曰：『子好勇乎？吾嘗聞大勇於夫子矣：自反而不縮，雖褐寬博，吾不惴焉，自反而縮，雖千萬人，吾往矣。』孟施舍之守氣，又不如曾子之守約也。」[2]

公孫丑又提出如何才能不動心的問題，孟子指出北宮黝、孟施舍、曾子三人培養勇氣而不動心的辦法，有所不同，北宮黝不膚橈不目逃等，所養之勇，是一種血氣之勇，每當遇到外來的橫逆刺激，即在內心中血脈賁張，血氣鼓盪，而形成一種奮發的氣勢，一種原始性的生命力量，給予對方以強烈的反擊。孟施舍視不勝猶勝，決然能夠無懼，所養之勇，是一種強毅型的意志之勇，遇有外敵進逼，心中立即湧起一股剛毅不屈的勇氣，務必實行抗禦外敵而無

1 孫奭：《孟子注疏》卷三上，（臺北，藝文印書館，一九九三年），頁五十三。

2 孫奭：《孟子注疏》卷三上，（臺北，藝文印書館，一九九三年），頁五十四。

所畏懼，他所養的勇，是屬於精神意志方面的。孔門之中，曾子為德行之儒，其學簡約，子夏為文學之儒，其學繁博，北宮黝與孟施舍之勇，難分高下，但孟施舍養勇之方，持守較簡約，與曾子相近似。至於曾子所謂自反而縮，雖千萬人吾往，縮是正直之義，所言千萬人吾往，是一種義理之勇，凡遇外來之橫逆寇敵，必先反省自己的行為措施，是否合於正直，是否有所謬誤，曾子如果反省自己的行為確實不合於正直，則即使所面對的，是穿著粗布衣服的平民百姓，曾子在心中也會覺得自己有所心虛恐懼。反之，如果自己行為確實合於正直，則心中必然產生一股正直的勇氣，而一往無前，無所畏懼，而不懼於千萬人之阻攔，閻若璩在《四書釋地三續》中釋「吾不惴焉」之「不」為「豈不」，「猶經傳中敢為不敢，如為不如之類」。[3]裴學海《古書虛字集釋》卷一云：「焉，猶乎也。」[4]釋「焉」為疑辭，據此，而《孟子》此句之「不」為否定辭，「吾不惴焉」，是以否定之疑問句，代替肯定之敘述句，從而加強其所表達之意義，因此，「吾不惴焉」與「吾惴」，意義相同，而語氣的表達則更加堅定強烈，「吾不惴焉」，即「吾能不惴乎」之義。像《論語·學而》首章中的「學而時習之，不亦說乎」、「有朋自遠方來，不亦樂乎」、「人不知而不慍，不亦君子乎」，意義與「亦說」、「亦樂」、「亦君子」相同，而語氣的表達則更加堅定強烈，與《孟子》此章中的表達方式是相同的。[5]

《孟子·公孫丑上》又云：

曰：「敢問夫子之不動心，與告子之不動心，可得聞與？」「告子曰：『不得於言，勿求於心；不得於心，勿求於氣。』不得於心，勿求於氣，可。不得於言，勿求於心，不可。」夫志，氣之帥也；氣，體之充也。夫志，至焉，氣，次焉，故曰：『持其志，無暴其氣。』」[6]

前文記載孟子曾言，「告子先我不動心」，故公孫丑乃問，孟子之不動心與告子之不動心，有何不同。孟子先引告子之言，然後說明自己與告子之不同。告子所謂之氣，趙岐以「辭氣」為釋，趙岐《孟子章句》說：「人有不善言之加於己，不復取其心有善也，直怒之矣。」又說：「告子知人之有惡心，雖以善辭氣來加己，亦直怒之矣。」[7]鄙意以為，當稍加引申，以「語氣」、「語言之氣勢」為釋，告子不動心之方法，以為言為心聲，自己如果不能從對方的言語中，了解到合理的言論意趣表達，則不需要進一步地再去了解對方內在的

3 閻若璩：《四書釋地三續》，載《皇清經解》卷二十三，（臺北，復興書局，一九六一年），頁二六七。

4 裴學海：《古書虛字集釋》卷一，（臺北，廣文書局，一九七一年），頁一〇三。

5 參見胡楚生：《訓詁學大綱》，（臺北，臺灣學生書局，二〇一六年），頁一二二。

6 孫奭：《孟子注疏》卷三上，（臺北，藝文印書館，一九九三年），頁五十四。

7 見孫奭：《孟子注疏》卷三上，（臺北，藝文印書館，一九九三年），頁五十四。

心意。同時，如果自己不能了解對方的心意，則不必再去理會對方語言的氣勢。告子利用這種態度，不必再進一步去了解對方，以便可以堅持自己的「不動心」，不受外來的影響。

孟子則就告子之言，加以批評，以為告子所說，如果不能了解對方的心意，則不必去理會對方語言的氣勢，是可以的。但是，即使不了解對方言語所表達的意義，卻仍需進一步了解對方的心意。因為，心意是氣勢的主宰，氣勢只是配合心意的表現而已。朱熹《孟子集注》云：「孟子既誦其語而斷之曰，彼謂不得於心而勿求諸氣者，急於本而緩其末，猶之可也。謂不得於言而不求諸心，則既失於外，而遂遺其內，其不可也必矣。」[8]其義甚是。所以要把握住對方的心意所在，了解對方真正的心意，是否良善，而不致被對方語言的氣勢所迷惑所影響。

告子論人性，主張「性無善無不善也」，主張「仁，內也，非外也，義，外也，非內也」（皆見《孟子・告子上》），認為義理來自心外，不在自己內心之中，因此，遇有拂逆之來，只能強行鼓動自己胸中的血氣，以求因應，以求不動其心。告子用這種強制的態度，不必再進一步去了解對方，以便不受外來的影響。

孟子論人性，主張「人之性善」，主張「仁義禮智，非由外鑠我也，我固有之也」（皆見《孟子・告子》），主張由自己內心之中，即可以培養出合乎正義的浩然之氣，而在自己遭遇拂逆之時，可以「自反而縮」，從而堅定自己的正義之感，而不動其心。因此，孟子和告子二人的「不動心」，一則是自然養成於內心，一則是強制於其心中，這是二人不同之處。

由於對「不動心」的看法有所不同，因此，孟子提出「夫志，氣之帥也；氣，體之充也。夫志，至焉，氣，次焉，故曰，持其志，無暴其氣。」的叮嚀之言，主張志是人的心意意志，人的行為以心志意志為主導，而充滿在身體生命中的血氣，則只是配合意志而產生行動的力量。血氣隨人的意志而動作，所以，孟子以為，人們應該「持其志，無暴其氣」，在內心維持意志的正確方向，而在言論方面，也力求節制其氣勢，而勿為過激的表現。

對於告子所說「不得於言，勿求於心，不得於心，勿求於氣」四句，勞思光教授在他的《新編中國哲學史》中，有他自己的見解，他說：

> 所謂「言」、「心」、「氣」，皆指在己者而說。「言」即己之講論，「心」即己之心志，「氣」則指己之意氣。

又說：

---

8 朱熹：《四書集注》，（臺北，學海出版社，一九八四年），頁二三四。

告子所謂「不得於言，勿求於心；不得於心，勿求於氣」，其意即謂：若講論有不得理者，不必求之於心志之中；倘心志有不得理者，則不必求之於意氣。9

勞教授以為，告子所說的四句話中，所謂的「言」、「心」、「氣」，都是指自己而言，勞教授所以提出這樣的解釋，主要以為，「《孟子》此節論『不動心』，以君子自養為論題」。只是，《孟子》此節，論眾人養勇之方，從北宮黝的「不膚橈，不目逃」，「惡聲至，必反之」，到孟施舍的「視不勝猶勝也」，「能無懼而已矣」，到曾子的「自反而不縮，雖褐寬博，吾不惴焉？自反而縮，雖千萬人，吾往矣」，甚至到孟子的「加齊之卿相，得行道焉」，都是由於有外來的刺激，有此誘因，才更加引起自己的因應，而運用自己平日培蓄的不同的「養勇」方法，去加以對應。因此，君子的「自養」，也需歷經外來橫逆的考驗，才能見其功效，因此，《孟子》此節所論「不動心」之道，絕對不僅僅只是單方面的「君子自養」而已，絕對不是單方面的默坐澄心，一意向內的修養，而是內外交攻，經過事上磨練，人我互動，相互激盪，才得以達到「不動心」的效果。

如果說，告子所說的那四句話，其中的「言」、「心」、「氣」，都是指告子自己的「言」、「心」、「氣」而言，則「不得於心，勿求於氣」，意指「倘心志有不得理者，則不必求之於意氣」，自是可通。但是，「不得於言，勿求於心」，意指「若講論有不得理者，不必求之於心志之中」，言為心聲，連告子自己心中都不能了解自己講說的言論意趣，自己的心聲，已經無所可用，却還要強迫自己不再用心思去尋覓思考，則「勿求於心」一句，豈不顯得多餘？「不得於言」一句，如何可以解釋成為告子自己的講論呢？要之，告子所說的四句話，其中一三兩句的「不得於言」、「不得於心」，恐怕不能逕指為告子自己之言之心。

《孟子・公孫丑》又云：

「既曰：『志，至焉，氣，次焉。』又曰：『持其志，無暴其氣。』何也？」曰：「志壹則動氣，氣壹則動志也。今夫蹶者趨者，是氣也，而反動其心。」[10]

公孫丑又問，孟子既說志為主，氣為副，則又何必再言「持其志，無暴其氣」，似乎是又將志氣二者平列等視，兩說似有矛盾之處？焦循《孟子正義》說：「持其志，使專壹而不貳，

9 勞思光：《新編中國哲學史》，（臺北，三民書局，一九九三年），頁一七二。
10 孫奭：《孟子注疏》卷三上，（臺北，藝文印書館，一九九三年），頁五十四。

是為志壹。守其氣，壹而不貳，是為氣壹。」[11]孟子以為，在正常的情形下，心志為主，氣勢隨之，只是，當心志專一凝聚的時候，它能夠影響人的氣勢，反之，當氣勢專一凝聚的時候，它也能夠影響人的心志，孟子並舉出「蹶者趨者，是氣也，而反動其心」，作為例證。因此，心志與氣勢，有時也可以交相影響，也可以互相變易其主客的形勢。所以，孟子在此特別強調了人們掌握「志」與「氣」兩者，適當運作，對於人們尋求「不動心」的重要。

## 三、論「養氣」

《孟子・公孫丑上》云：

「敢問夫子惡乎長？」曰：「我知言，我善養吾浩然之氣。」「敢問何謂浩然之氣？」曰：「難言也，其為氣也，至大至剛，以直養而無害，則塞乎天地之間。其為氣也，配義與道，無是，餒也。是集氣所生也，非義襲而取之也。行有不慊於心，則餒矣。我故曰，告子未嘗知義，以其外之也。」[12]

浩然之氣，至大至剛，至大，言其充塞天地之間，無所不在，至剛，言其力量巨大，無堅不摧。然而，浩然之氣，由何而至？則孟子指出，人心中浩然之氣，需要人們以正直之行事，加以培養，而勿以乖違之行事，予以危害，及至時日既久，則浩然之氣，充塞於己心之中，以至感覺其氣充塞於天地之間，則浩然之氣，在自己心中，在自身行事所及之處，無所不在，充塞飽滿。孟子又復指出，浩然之氣，需要配合「義」與「道」二者，由人們逐漸去培養，才能漸漸充塞在自己的心胸之中，至於培養的方法，則是要以仁愛的胸懷，正直無私的精神，配合正義（義）與公理（道）的行為，從無數次的事件磨練中，去實踐合乎正義的善事，去實踐合乎公理的善行，如此累積正念善行，「配義與道」，時日既久，心中才能理直而氣壯，自然感覺到一股浩然廣大的正氣，充塞在自己的心胸之中，邪惡不義之事，莫之敢攖其鋒，由是而昂然無懼，勇往直前，所以說是至大至剛。

孟子說，「其為氣也，配義與道，無是，餒也」，意指氣的內涵，應配合「義」與「道」二者，若僅有氣，而欠缺配合的「義」與「道」，則其氣也僅具虛誇的外表，必將陷於餒縮的命運。此句以「氣」為主語，以「義」與「道」為配合語，故言「配義與道」。養浩然之氣，自然是以「氣」為主，但若無「義」與「道」的配合，則其「氣」必然餒縮。然

11 焦循：《孟子正義》卷三，（臺北，臺灣商務印書館，一九六五年），冊二，頁五十九。

12 孫奭：《孟子注疏》卷三上，（臺北，藝文印書館，一九九三年），頁五十四。

則此句的「餒」，指的是「氣」，文中無是的「是」，自然指居於配合地位的「義與道」，而朱熹在《四書集注》中及《語類》之中，却將無是的「是」，指為是「氣」而言，[13]不知此浩然之氣中，唯有「氣可餒」，「義與道」如何餒法？

孟子說，浩然之氣，「是集義所生，非義襲而取之也」，集義，與上文「直養」之義相同，指人們行事一秉於正義至善，今日行之，日日行之，集之既多，正義充塞於胸臆之中，理直氣壯，而浩然之氣，逐漸生於心中，故曰「是集義所生」，朱子《四書集注》云：「襲，掩取也，如齊侯襲莒之襲。言氣雖可配乎道義，而其養之之始，乃由事皆合義，自反常直，是以無所愧怍，而此氣自然發於中，非由只行一事偶合於義，便可掩襲於外而得之也。」[14]朱子釋「集義」之意甚是，釋「襲」字之意也甚是，但於「義襲」二字配合，則未作出清晰之確解，且義襲二字，置於一處，實不成辭，「義」非人稱代名詞，如何可以有襲取之動作，且一「義」之襲，也豈能即使其人獲得浩然之氣？且浩然之氣，「是集義所生」，是由內心「集義」所產生，也非外在之一物，可以偷襲取之歸我所有？王引之《經義述聞》卷三十二〈通說〉下，有「通說」十二條，說明古籍一些訓詁中的特殊現象，其中第八條「形譌」曾說：「經典之字，往往形近而譌，仍之則義不可通，改之則怡然理順。」又說：「『我與義相似，而誤為義。』（王引之原注：《孟子・公孫丑篇》：「是集義所生者，非義襲而取之也。」下義字文義難通，疑當作我，言在外者，我可襲而取之，浩然之氣，從內而出，非我所能襲取也。我與義相似，又涉上文兩義字而誤耳。趙注但云「人生受氣所自有」，而不及義字，則所見本不作義可知，《疏》據義字作解，非也。）[15]王引之的說法，於校勘，於義理，兩者可通，自然可以依從。正因為浩然之氣的養成，需由自己內心開始，養之既久，浩然正氣充塞於心中，形之於外，沛然莫之能禦，但是，如果自己的行為舉措，時有乖違，而有不能自安於內心的行為產生，久之，也能使浩然之氣逐漸餒縮，不復存在。要之，浩然之氣的存有產生，充沛餒縮，皆由人們的內心主導，所以，孟子批評主張「仁內義外」之說的告子，是不可能了解養氣之事的。

至於孟子培養浩然之氣的「不動心」，與前文所述曾子培養大勇的「情形」，二者有何異同之處？我們只能回答，兩者有相同相似之處，都屬於義理之勇，只是，曾子能夠把握住養勇的精要意義，而孟子則更加擴大了其應用的範圍，開拓了自己心胸的規模。

《孟子．公孫丑上》又云：

---

13 黃俊傑教授〈孟子知言養氣集釋新詮〉，（載所著《孟學思想史》卷一，臺北，東大書局，一九九一年，頁三八二）曾引述朱熹《孟子集注》及《朱子語類》指朱熹所謂「無是」之「是」，並指「氣」而言。又引述呂祖礦之弟呂祖儉及韓國學者丁茶山之言，對朱熹之說，加以反駁，可資參考。

14 朱熹：《四書集注》，（臺北，學海出版社，一九八四年），頁二三五。

15 王引之：《經義述聞》卷三十二，（臺北，廣文書局，一九六三年），頁七八九。

必有事焉而勿正，心勿忘，勿助長也。無若宋人然，宋人有閔其苗之不長而揠之者，芒芒然歸，謂其人曰：「今日病矣，予助苗長矣。」其子趨而往視之，苗則槁矣。天下之不助苗長者寡矣，以為無益而舍之者，不耘苗者也，助之長者，揠苗者也，非徒無益，而又害之。[16]

「必有事焉」，趙岐釋事為「福」，其義與上下文義不符，朱熹釋事為「有所事也」，其義可通，此文「必有事焉而勿正，心勿忘」一節文字，顧亭林《日知錄》卷七云：「（必有事焉而勿正心）倪文節（思）謂當作『必有事焉而勿忘，勿忘，勿助長也』，傳寫之誤，以『忘』字作『正心』二字。言養浩然之氣，必當有事而勿忘，既已勿忘，又當勿助長也。疊二『勿忘』，作文法也。」[17]顧亭林引倪思之說，以為孟子此文「勿正心」三字，乃「勿忘」二字之誤，蓋「忘」字誤分寫為「正心」二字也，其說可從。唯「忘」字擬為「忙」字之通假，揠苗助長，正是宋人心急忙亂之行為，兩者義正相應。

## 四、論「知言」

《孟子・公孫丑上》云：

「何謂知言？」曰：「詖詞知其所蔽，淫詞知其所陷，邪詞知其所離，遁詞知其所窮。生於其心，害於其政，發於其政，害於其事。聖人復起，必從吾言矣。」[18]

朱熹《孟子集注》云：「詖，偏陂也。淫，放蕩也。邪，邪偏也。遁，逃避也。四者相因，言之病也。蔽，遮隔也。陷，沉溺也。離，叛去也。窮，困屈也。四者亦相因，則心之失也。人之有言，皆本於心。」又云：「即其言之病，而知其心之失，又知其害於政事之決然而不可易者如此。」[19]言為心聲，由其人之所言，可以得知其人心中所思所想之趨向。《孟子》此章，以為政行道為討論之目標，為政之事，以知人得人為要，知人之道，以細察其言語為判斷，故孟子於此，先論知言之道。《孟子・公孫丑上》又云：

「宰我、子貢善為說辭，冉牛、閔子、顏淵善言德行。孔子兼之，曰：『我於辭命，則不能也。』然則夫子既聖矣乎？」曰：「惡，是何言也？昔者子貢問於孔子曰：

16 孫奭：《孟子注疏》卷三上，（臺北，藝文印書館，一九九三年），頁五十五。
17 黃汝成：《日知錄集釋》卷七，（上海，上海古籍出版社，二〇〇六年），頁四二四。
18 孫奭：《孟子注疏》卷三上，（臺北，藝文印書館，一九九三年），頁五十五。
19 朱熹：《四書集注》，（臺北，學海出版社，一九八四年），頁二三六。

『夫子聖矣乎?』孔子曰:『聖則吾不能,我學不厭而教不倦也。』子貢曰:『學不厭,知也,教不倦,仁也。仁且智,夫子既聖矣。』夫聖,孔子不居,是何言也!」[20]

孟子既已論及知言,公孫丑因而以為,孔子兼有言語、道德之長,却仍然自以為在辭令言語方面,不甚擅長,故公孫丑以為,孟子既然善於知言,又善於養氣,在言語及道德方面,兩者兼長,故已足夠作為聖人。但是,孟子則以為,孔子尚且不敢自居聖人之名,則自己又豈敢擅居聖人之名呢!《孟子・公孫丑上》又云:

「昔者竊聞之,子夏、子游、子張,皆有聖人之一體;冉牛、閔子、顏淵,則具體而微。敢問所安?」曰:「姑舍是。」曰:「伯夷、伊尹何如?」曰:「不同道。非其君不事,非其民不使,治則進,亂則退,伯夷也。何事非君,何使非民,治亦進,亂亦進,伊尹也。可以仕則仕,可以止則止,可以久則久,可以速則速,孔子也。皆古聖人也,吾未能有行焉,乃所願,則學孔子也。」[21]

《孟子・萬章下》曾經記載,孟子稱許伯夷為聖之清者,伊尹為聖之任者,柳下惠為聖之和者,孔子為聖之時者,以為唯有孔子能把握適當的時機,貢獻所學,也只有孔子,才能集伯夷、伊尹、柳下惠之長處，而成為一大聖人之事業，所以孔子才是孟子心中願意效法的對象。《孟子・公孫丑上》又云：

「伯夷、伊尹於孔子，若是班乎？」曰：「否，自有生民以來，未有孔子也。」曰：「然則有同與？」曰：「有，得百里之地而君之，皆能以朝諸侯，有天下；行一不義，殺一不辜，而得天下，皆不為也。是則同。」22

孟子尊稱孔子為自有人類以來，未嘗有人能夠比孔子更為偉大，至於孔子與伯夷、伊尹相同的地方，則在於三人同樣以仁愛存心，以仁愛待民，如果行一不義之事，殺一無罪之人，即使以此而得到天下政權，也不願意為之。《孟子・公孫丑上》又云：

曰：「敢問其所以異？」曰：「宰我、子貢、有若，智足以知聖人，汙不至阿其所

20 孫奭：《孟子注疏》卷三上，（臺北，藝文印書館，一九九三年），頁五十五。
21 孫奭：《孟子注疏》卷三上，（臺北，藝文印書館，一九九三年），頁五十六。
22 孫奭：《孟子注疏》卷三上，（臺北，藝文印書館，一九九三年），頁五十六。

好。宰我曰：『以予觀於夫子，賢於堯舜遠矣。』子貢曰：『見其禮而知其政，聞其樂而知其德，由百世之後，等百世之王，莫之能違也。自生民以來，未有夫子也。』有若曰：『豈惟民哉！麒麟之於走獸，鳳凰之於飛鳥，泰山之於丘垤，河海之於行潦，類也。聖人之於民，亦類也。出於其類，拔乎其萃，自生民以來，未有盛於孔子也。』」[23]

孟子引用宰我、子貢、有若三人之言，以稱頌孔子，為自有人類以來，最為偉大之人。主要以為，孔子教化世人，以仁愛精神為教化之根本，足以為萬世之標準。

在論及「知言」之時，孟子由知言，進而至於知人，由知其人言語的誠偽，進而知其人行為之善惡，才能之高低，是故，由其人之言語，進而知其人的心術才具，進而才能知人善任，用人唯才，舉用賢人，推行善政，使民眾享受幸福的生活。在此章之中，孟子更將孔子聖之時者的行事作風，作為自己得道行政衷心效法的最高標準。

## 五、結　語

孟子生當戰國時代，懷抱濟世致用的精神，他曾經說道：「古之人，得志，澤加於民，不得志，修身見於世，窮則獨善其身，達則兼善天下。」（《孟子・盡心上》）又說：「夫天未欲平治天下也，如欲平治天下，當今之世，舍我其誰也？」（《孟子・公孫丑下》）可見孟子為學的目的，主要在於安邦定國，平治天下，利濟百姓。

在《孟子・公孫丑上》此章之中，公孫丑首先詢問孟子，如果真有得君行道的機會，孟子是否有所恐懼而擔心自己能力不足？孟子則直言自己四十歲時，即已具備擔當大任而無所恐懼的「不動心」的精神。在說明了自己培養「不動心」的方法之後，又因公孫丑之問，而提出自己具有「知言」與「養氣」的能力，並分別對「養氣」和「知言」兩項長處的培養和功能，加以說明，「養氣」主要在於充實自己內在的修養，足以堅持正義的原則。「知言」主要在於了解他人的情偽，足以知人而善任。

孟子既然具備「不動心」的承擔精神，救世理念，又具備「養氣」和「知言」的修養功夫，如果能夠得君行道，擔當大任，也必然能夠拯救百姓於水火之中，躋登萬民於衽席之上，這是可以預期的。

23 孫奭：《孟子注疏》卷三上，（臺北，藝文印書館，一九九三年），頁五十六。

# 玖、顧亭林「通經致用」之為學精神

## 一、引言

顧亭林（一六一三—一六八〇）初名絳，字寧人，江蘇崑山人，國變後，改名炎武，學者稱為亭林先生。

明思宗崇禎十七年（一六四四）三月，流寇李自成攻陷北京，思宗自縊於萬壽山，四月，山海關守將吳三桂因愛妾陳圓圓為李自成部將劉宗敏所掠，憤而開關，引清兵入境，進入北京，次年五月，清兵南下，攻破南京，亭林先生與友人起義兵於崑山，六月，清兵圍攻崑山，七月，城破，官員民眾，被殺者約四萬人，亭林因省母在外，未及於難，其弟子嬰，子武，並遭難，亭林生母何氏，為清兵所傷，右臂折斷。七月，清兵下常熟，亭林嗣母王氏，絕食十五日而歿，遺命亭林，勿事二姓。

明亡之後，亭林先生六謁孝陵，六謁思陵，變姓名為蔣山傭，往來各地，密謀恢復，又遍觀天下，地理險要，著書立說，以備異日，經世致用。

亭林先生著述宏富，而《日知錄》三十二卷，尤為亭林先生平生志業寄寓之書，亭林先生〈與人書二十五〉云：「君子之為學，以明道也，以救世也。」又云：「別著《日知錄》，上篇經術，中篇治道，下篇博聞，共三十餘卷，有王者起，將以見諸行事，以躋斯世於治古之隆，而未敢為今人道也。」[1]又〈與友人論門人書〉云：「所著《日知錄》三十餘卷，平生之志與業，皆在其中，惟多寫數本，以貽之同好，庶不為惡其害己者之所去。而有王者起，得以酌取焉，其亦可以畢區區之願矣。」[2]因此，《日知錄》中，自然有致用之精神存在。

另外，傳統學術發展到宋代，理學盛行，到了明代，心學更是盛極一時，至於晚明時期，心學末流，入於狂禪，以至士人游談無根，束書不觀，影響人心世道極深，亭林先生有見於此，起而拯救流弊，他以實事求是，信而有徵，引導學風，亭林先生〈與友人論學書〉云：「竊歎夫百餘年以來之為學者，往往言心言性，而茫乎不得其解也。命與仁，夫子之所罕言也，性與天道，子貢之所未得聞也。」又云：「愚所謂聖人之道如之何？曰『博學於文』，曰『行己有恥』，自一身以至於天下國家，皆學之事也，自子臣弟友以至出入、往來、辭受、取與之間，皆有恥之事也。」[3]亭林先生針對晚明空疏不實之學風，而提出關切於身心行為，有益於天下國家的徵實學風，倡導經世致用，一時風氣逐漸改變，亭林先生也因此被世人尊稱為清代學術之開山大師。

因此，亭林先生所以要倡導「經邦濟世」、「通經致用」，有兩項重要的背景：

其一，在時代背景上，他處在明室覆亡，亟待挽救沉淪，以圖光復之際。

其二，在學術背景上，他處在晚明心學末流弊端叢生，亟待加以改革之時。

由於這兩種背景，才更增加了亭林先生對「通經致用」為學精神的推展。

## 二、顧亭林「通經致用」之實踐

清康熙九年（一六七〇），亭林先生初刻《日知錄》八卷，康熙二十一年（一六八二），亭林先生去世，其弟子潘耒，從亭林先生家中求得《日知錄》手稿，再三校勘，訂為三十二卷，於康熙三十四年（一六九五）刻印行世。道光十六年（一八三六），黃汝成撰成《日知錄集釋》，但是，由於清廷網禁的嚴密，這兩次的刊行，多有竄改，故所行世的，並

---

1 《顧亭林文集》卷四，（臺北，漢京文化公司，一九八四年），頁九十八。

2 《顧亭林文集》卷三，（臺北，漢京文化公司，一九八四年），頁四十七。

3 《顧亭林文集》卷三，（臺北，漢京文化公司，一九八四年），頁四十。

非原書的本來面貌。民國二十二年（一九三三），張繼（溥泉）先生在北平購得原抄本《日知錄》，持與章太炎黃季剛兩位先生共同校閱，黃張二位先生，並撰成校勘記，太炎先生為之作序，然後亭林先生在此書中的志節苦心，精神意趣，才得以重視人間。民國四十七年，溥泉先生夫人崔震華女士，委請徐文珊教授整理原抄本《日知錄》，在臺刊印出版。

二〇〇六年，上海古籍出版社重印黃汝成之《日知錄集釋》，由欒保群、呂宗力二位先生點校整理，並將黃季剛、張溥泉二位先生所撰的《日知錄校勘記》，依據《日知錄》原書之目錄或相關條文，散入《集釋》之中，也使得《日知錄》更增多一種接近原貌的傳本。

以下，即從黃汝成《日知錄集釋》之中，選取一些例子，以說明亭林先生「通經致用」的為學精神。

### (一)暗斥清兵入關

《春秋》魯宣公九年（西元前六〇〇）記載：

> 陳殺其大夫洩冶。

又十一年（西元前五九八）記載：

納公孫寧、儀行父于陳。4

《左傳》記載，陳靈公與寵臣公孫寧、儀行父三人，都與夏姬私通，宣淫於國內，毫不避諱，大臣洩冶，極力諫勸，為陳靈公所殺，魯宣公十年，三人飲酒於夏姬家中，陳靈公對二人說，夏姬之子夏徵舒像你們二人，二人回答說，也像國君，三人引以為樂，夏徵舒聞知，十分忿怒，因此，嗣機射殺陳靈公，公孫寧與儀行父二人，懼而出奔楚國。魯宣公十一年，楚莊王率軍討伐陳國，殺夏徵舒，因而以陳國作為楚國的屬縣，由於大臣申叔時的諫勸，應以號召諸侯為重，才將陳國土地復歸陳國，送陳成公回國，（陳靈公之子，時在晉國），並且將公孫寧、儀行父二人遣返陳國。對於此事，杜預的《左傳注》說：「二子淫昏，亂人也，君弒之後，能外託楚，以求報君之讎。」又說：「靈公成喪，賊討國復，功足以補過。」5

對於公孫寧、儀行父的行為，顧亭林《日知錄》卷四評論說：

4 孔穎達：《左傳注疏》卷二十二，（臺北，藝文印書館，一九九三年），頁三八〇、三八三。

5 孔穎達：《左傳注疏》卷二十二，（臺北，藝文印書館，一九九三年），頁三八三。

孔寧、儀行父從靈公宣淫于國，殺忠諫之泄冶，君弒不能死，從楚子而入陳，《春秋》之罪人也，故書曰：「納公孫寧、儀行父于陳」。杜預乃謂二子託楚以報君之讐，靈公成喪，賊討國復，功足以補過。嗚呼，使無申叔時之言，陳為楚縣矣，二子者楚之臣僕矣，尚何功之有？幸而楚子復封，成公反國，二子無秋毫之力，而杜氏為之曲說，使後世詐諼不忠之臣，得援以自解，嗚呼，其亦愈于今之已為他人郡縣而猶言報讐者與！有盜于此，將劫一富室，至中途而其主為僕所弒，盜遂入其家，殺其僕，曰，吾報爾讐矣，遂有其田宅貨財，子其子孫其孫，其子孫亦遂奉之為祖父，嗚呼，有是理乎？《春秋》之所謂亂臣賊子者，非此而誰邪？6

顧亭林反駁杜預的看法，他以為陳成公的能夠返回陳國，陳國的不被滅亡，完全是因為申叔時的諫勸楚莊王以號召諸侯為重，而公孫寧及儀行父二人，並無半點功勞，而杜預歪曲是非的言辭，適足以使得後世不忠不義的人臣，藉此作為文過飾非的例證，足以誤導世人的觀感，故不得不加以辯駁。同時，顧亭林所提出的「有盜於此，將劫一富室」的一長段文字中，則實質上更是針對明代末年吳三桂因私人怨怒，乞師女真，引導滿人入關而不返，遂據有中原大地而發揮，文末稱「遂有其田宅貨財，子其子而孫其孫，其子孫亦遂奉之為祖父」，又稱「《春秋》之所謂亂臣賊子者，非此而誰邪」，其指斥之嚴，用意之深，豈不灼然可見！至於文中所謂「今之已為他人郡縣而猶言報讎者」，也實係隱指清人入關之後，明代大臣降志辱身，罔顧大義，投降清廷之後，又復昌言反清，如吳三桂、錢謙益之流而言，也無可疑。蓋吳三桂既引清人南下，受封為平西王，又弒明永曆帝於雲南，晚年，清帝削藩，吳三桂乃以反清復明為號召，事敗而死。而錢謙益降清之後，不受滿廷重用，抑鬱不得志，遂有復明之意，而志終不能申。故顧亭林隱然指斥此等反復之人，而於解釋經典之時，激於義憤，才以沉痛之心情，批判亂臣賊子之背棄國族。

## (二)憂心文化沉淪

《論語・憲問》云：

> 子路曰：「桓公殺公子糾，召忽死之，管仲不死，曰，未仁乎？」子曰：「桓公九合諸侯，不以兵車，管仲之力也，如其仁，如其仁。」

又云：

---

6 黃汝成：《日知錄集釋》卷四，（上海，上海古籍出版社，二〇〇六年），頁二一九。

子貢曰：「管仲非仁者與？桓公殺公子糾，不能死，又相之。」子曰：「管仲相桓公，霸諸侯，一匡天下，民到于今受其賜，微管仲，吾其被髮左衽矣，豈若匹夫匹婦之為諒也，自經於溝瀆，而莫之知也。」[7]

春秋初期，齊襄公昏庸無道，大臣鮑叔牙知齊國將亂，奉公子小白出奔於莒，管仲與召忽也奉公子糾出奔於魯國，公子糾與公子小白都是齊襄公的庶弟。春秋魯莊公八年（西元前六八六），齊襄公為大夫連稱所弒，而立公孫無知為君，稍後，公孫無知又被大夫雍廩所弒，公子糾及公子小白聞訊，都立即返國，而公子小白先返齊國，被立為齊桓公，並逼迫魯國殺死公子糾，獻出管仲與召忽，召忽自殺，管仲被送返齊國，桓公卻重用管仲為相，因而稱霸天下。

《論語》中記載子路及子貢對於管仲人格的質疑，而孔子卻採取肯定管仲為仁者的態度，對於這種情形，何晏《論語集解》引述馬融之言說：「無管仲，則君不君，臣不臣，皆為夷狄。」本來是很平允的看法，但是，何晏《論語集解》又引述王肅之言卻說：「管仲召忽之於公子糾，君臣之義未成，故死之未足深嘉，不死未足多非。」[8] 照王肅的說法，公子糾當時並未登上君位，因此，管仲召忽對於公子糾而言，也並未成為臣子，因而，君臣之義，雙方還並未正式成立，故召忽之死，並不足以多所嘉許，管仲不死，也不必多所責備，只是，這種騎牆之見，如果成立，則召忽之死，豈非多此一舉？

另外，朱熹在《四書集注》中說：「匡，正也，尊周室，攘夷狄，皆所以正天下也。」又引述程子之言說：「桓公，兄也，子糾，弟也。仲私於所事，輔之以事國，非義可知，桓公殺之雖過，而糾之死實當。」又說：「若使桓弟而糾兄，管仲所輔者正，桓奪其國而殺之，則管仲之與桓，不可同世之讎也。」[9]公子糾與公子小白，誰是兄？誰是弟？清儒毛奇齡等人辨之甚明，都以為公子糾是兄，小白是弟，[10]朱子本人的注語，尚屬中肯，但是，他所引述的程子之言，卻未免使人有畫蛇添足的感覺，個人覺得，對於《論語》這兩章的解釋，說得最明確最具有深層意涵的，是顧亭林的看法，《日知錄》卷七〈管仲不死子糾〉條說：

> 君臣之分，所關者在一身，夷夏之防，所繫者在天下，故夫子之於管仲，略其不死子

7 邢昺：《論語注疏》卷十四，（臺北，藝文印書館，一九九三年），頁一二六。

8 邢昺：《論語注疏》卷十四，（臺北，藝文印書館，一九九三年），頁一二七。

9 朱熹：《論語集注》卷七，（臺北，學海出版社，一九八四年），頁一五一。

10 參拙稿〈清初諸儒論「管仲不死子糾」申義〉，載拙著《清代學術史研究》，（臺北，臺灣學生書局，一九八八年），頁一二五。

糾之罪，而取其一匡九合之功，蓋權衡於大小之間，而以天下為心也，夫以君臣之分，猶不敵夷夏之防，春秋之志，可知矣。有謂管仲之於子，未成為君臣者，子糾於齊未君，於仲與忽，則成為君臣矣，狐突之子毛及偃，從文公在秦，而曰：「今臣之子，名在重耳，有年數矣。」若毛、偃為重耳之臣，而仲與忽不得為糾之臣，是以成敗定君臣也，可乎？又謂桓兄糾弟，此亦強為之說，夫子之意，以被髮左衽之禍，尤重於忘君事讎也。論至於尊周室攘夷狄之大功，則公子與其臣，區區一身之名分小矣，雖然，其君臣之分，故在也，遂謂之無罪，非也。11

顧亭林所謂的「君臣之分，所關者在一身，夷夏之防，所繫者在天下，故夫子之於管仲，略其不死子糾之罪，而取其一匡九合之功，蓋權衡於大小之間，而以天下為心也」，以天下為心，以種族文化的存亡為重，應該才是孔子贊許管仲為「仁人」最重要的條件，「夫子之意，以被髮左衽之禍，尤重於忘君事讎也」，這十九個字，一般通行本《日知錄》都沒有，而張繼所發現的原抄本《日知錄》卻有，則是為清代刊本所刪去，這十九個字，卻正是孔子的用意所在，也正是顧亭林的用意所在，因為，清兵入關之後，明朝高官顯宦，「忘君事讎」的情形不在少數，雖然令人痛恨，但是，激勵國人如何去捍衛疆土，保全文化命脈，應該才是顧亭林從孔子言論中所體會到的更加重要的時代義涵。

亭林先生《日知錄》卷十三〈正始〉條云：

> 有亡國，有亡天下，亡國與亡天下奚辨？曰：易姓改號，謂之亡國，仁義充塞，而至於率獸食人，人將相食，謂之亡天下。

又云：

> 是故知保天下，然後知保其國。保國者，其君其臣肉食者謀之，保天下者，匹夫之賤，與有責焉耳矣。[12]

亭林先生在晚明之際的處境，既已親身經歷「亡國」之痛，又極度憂心「亡天下」之慘禍，憂心文化沉淪的災難降臨，因此，在他的心靈深處，在他《日知錄》此條之中隱示的，不僅是「保國」的圖謀，也更是「保天下」的壯志與宏願。他說孔子之於管仲，許其為仁者，是

11 黄汝成：《日知錄集釋》卷七，（上海，上海古籍出版社，二〇〇六年），頁四一二。

12 黄汝成：《日知錄集釋》卷十三，（上海，上海古籍出版社，二〇〇六年），頁七五五。

「以天下為心」，是「春秋之志」，則既是尊崇孔子的看法，同時也是亭林先生的「夫子自道」。

## (三) 表彰節烈精神

《論語·先進》記載：

季路問事鬼神？子曰：「未能事人，焉能事鬼！」曰：「敢問死？」曰：「未知生，焉知死！」[13]

推尋孔子之意，主要以為，鬼神及死後之事，都屬於邈不可知，故勉勵子路，應該重視人生在世之時，把握當下，進修德業，孝養雙親，善待家人朋友，才是人生在世的正軌。顧亭林《日知錄》卷七〈季路問事鬼神〉條說：

「未能事人，焉能事鬼？」「左右就養無方」，故其祭也，「洋洋如在其上，如在其左右」。「未知生，焉知死？」「人之生也直」，故其死也，「無求生以害仁，有殺身以成仁」。

又說：

「天地有正氣，雜然賦流形，下則為河岳，上則為日星」，可以謂之知生矣。「孔曰成仁，孟曰取義，而今而後，庶幾無愧」，可以謂之知死矣。14

針對子路所問，孔子所答的兩個問題，顧亭林提出他自己的看法和解釋。對於「事人」與「事鬼」方面，顧亭林以為，「事人」之道，以事奉雙親最為切要，由此才能推而及於他人，亭林引用《禮記・檀弓》所說的「左右就養無方」，以說明為人子女者，事奉雙親，應當在雙親身旁，晨定昏省，就近侍養，卻不必拘泥於一定的方式，又引述《禮記・中庸》所說的「洋洋乎如在其上，如在其左右」，以說明如果不幸父母亡故，為人子女者，在祭祀雙親時，應當保持「祭如在，祭神如神在」（《論語・八佾》）的虔敬心情。對於「知生」與「知死」方面，顧亭林引用《論語・雍也》中的「人之生也直」，以說明人生在世之時，應當謹守正道而行，又引用《論語・衛靈公》中的「無求生以害仁，有殺身以成仁」，以說明

13 邢昺：《論語注疏》卷十一，（臺北，藝文印書館，一九九三年），頁九十七。

14 黃汝成：《日知錄集釋》卷七，（上海，上海古籍出版社，二〇〇六年），頁四〇七。

人們如果不幸而必須面對死亡之時，也應當成就仁德，而不應該貪生畏死，而致損害仁德。

在《日知錄》此條的前段文字之中，顧亭林主要是在闡釋孔子所言，人們對於「鬼神」與「生死」應有的態度，仍然是就人生在世時一般的常情而立論，但是，在下一段文字中，他卻引述了南宋丞相文天祥〈正氣歌〉的文辭，用以說明「知生」的意義，引述文天祥〈衣帶贊〉的文辭，用以說明「知死」的意義，則是轉就國家社會處在特殊變動艱難的情況下而作出的抒發之言。顧亭林三十二歲（一六四四年）時，流寇李自成攻陷北京，明思宗自縊，同年，明山海關守將吳三桂因愛妾陳圓圓為李自成部將劉宗敏所掠，憤而開關，迎清兵入關，清兵進入北京之後，乘勢南下，次年（一六四五年），史可法督師堅守揚州，城破之後，壯烈殉國，死節之事，天下相傳，咸共嘆惋，因此，亭林在《日知錄》此條之中，既已闡釋孔子的心意，又再不避辭費，引述文天祥的言辭，以作為士大夫「知生」、「知死」的準則，以為能具備浩然正氣，方才不愧於生，能成仁取義，方才無愧於死。推測亭林的用意，豈非有感於史閣部的壯烈成仁，有似於文丞相，而處在清廷高壓之下，卻不便於明言！其實，文公、史公，精忠殉國，頌文丞相，也就等於是頌史閣部，否則，討論孔子的言論，又何必遠自春秋，而下引宋人之言，以相質證呢？亭林之言，重點在悼念史閣部，因為有所諱避，故不得不出於借古喻今之途徑。（後世相傳，昔年史母夢見文天祥入家室而生史公，故道光間進士嚴保庸有聯輓史公曰：「生有自來文信國；死而後已武鄉侯。」乾隆間進士蔣士銓有聯輓史公曰：「讀前生浩氣之歌，廢書而嘆；結再世孤臣之局，過墓興哀。」也都是以史可法的前世為文天祥。）

顧亭林在史可法殉國後次年（一六四六年），撰有〈海上〉詩四首，感慨於當時的國家局勢，其中第四首云：「長看白日下蕪城，又見孤雲海上生，感慨河山追失計，艱難戎馬發深情。埋輪拗鏃周千畝，蔓草枯陽漢二京，今日大梁非舊國，夷門愁殺老侯嬴。」[15]則更是措意於史閣部守揚州之事，王冀民《顧亭林詩箋釋》，即言亭林以「蕪城」指揚州，以「白日」喻史可法，以侯嬴自喻，以誌哀輓之意。詩中「蕪城」一辭，雖然取自於鮑照〈蕪城賦〉之名，但史閣部殉國之後，清兵屠戮百姓，「揚州十日」，城郭幾成廢墟，亭林先生時在崑山一帶，耳聞目擊，他在詩中使用「蕪城」一語，相信在心中也一定是倍感傷痛。

## (四) 慨歎閹宦亂政

《周禮・天官冢宰》云：

> 惟王建國，辨方正位，體國經野，設官分職，以為民極，乃立天官冢宰，使帥其屬而

15 王冀民：《顧亭林詩集釋》卷一，（北京，中華書局，一九九八年），頁七十。

掌邦治，以佐王均邦國。治官之屬，大宰，卿一人。小宰，中大夫二人。16

《周禮》記述職官，共有六大系列，計為天官、地官、春官、夏官、秋官、冬官。天官之首為大宰一人，列於卿位，而以中大夫二人為小宰，以為太宰之佐。天官之下，所屬官職，計有六十三職，其中有「閽人」、「寺人」等官，《周禮・天官冢宰》云：

閽人：掌守王宮之中門之禁，喪服、凶器不入宮，潛服、賊器不入宮，奇服、怪民不入宮。凡內人、公器、賓客，無帥則幾其出入，以時啟閉……。

寺人：掌王之內人及女宮之戒令，相道其出入之事而糾之。若有喪紀、賓客、祭祀之事，則帥女宮而致于有司，佐世婦治禮事，掌內人之禁令。……。

九嬪：掌婦學之法，以教九御，婦德、婦言、婦容、婦功，各帥其屬而以時御教于王所，……。

世婦：掌祭祀、賓客、喪紀之事，帥女宮而濯摡，為齍盛。……17

閽人之官，掌守王宮出入門禁，寺人之官，即是奄人宦官，九嬪之官，掌教導嬪妃之職，世婦之官，掌管理宮中侍女洗滌器皿之職，在王宮之中，都是易於接近君王之人，其他類似之官，如內豎、女御、女祝、女史、典婦功等，也與之相同，而《周禮》設官分職，這些官職都屬於太宰、小宰直接任命與督導管理。

顧亭林《日知錄》卷五〈閽人寺人〉條云：

閽人寺人屬於冢宰，則內廷無亂政之人，九嬪世婦屬於冢宰，則後宮無盛色之事。大宰之於王，不唯佐之治國，而亦誨之齊家者也。自漢以來，唯諸葛孔明為知此義，故其上表後主，謂「宮中府中，俱為一體，而宮中之事，事無大小，悉以咨攸之、褘、允三人」，於是後主欲采擇以充後宮，而終執不聽。宦人黃皓，終允之世，位不過黃門丞，可以為行周禮之效矣。後之人君，以為此吾家事，而為之大臣者，亦以為天子之家事，人臣不敢執而問也，其家之不正而何國之能理乎？

閽寺嬪御之繫於天官，周公所以為後世慮，至深遠矣，漢承秦制，有少府之官，中書謁者、黃門、鉤盾、尚方、御府、永巷、內者、宦者八官，令丞、諸僕射、署長、中

16 賈公彥：《周禮注疏》卷一，（臺北，藝文印書館，一九九三年），頁十。

17 賈公彥：《周禮注疏》卷二，（臺北，藝文印書館，一九九三年），頁一一四。

黃門皆屬焉，然則奄寺之官，猶隸於外廷也。18

顧亭林以為，「閽人」、「寺人」、「九嬪」、「世婦」一類的官員，其職務都由冢宰治官所管轄，其官員也由太宰小宰直接任命督導，這些官員，都須向太宰和小宰負責，因此，這種制度的設計，可以使得「內廷無亂政之人」，「後宮無盛色之事」，亭林先生以為，家齊而後國治，國君在上，尤其是要作為萬民的表率，因此，《周禮》將閽人寺人等官職都歸屬於太宰，推其用意，不僅在使太宰輔佐君王治國，同時也是輔導君王齊家。他以為，諸葛亮在〈出師表〉中所說的「宮中府中，俱為一體，而宮中之事，事無大小，悉以咨之（郭）攸之、（費）禕、（董）允三人」一段話，是最能實踐《周禮》冢宰在這一方面精神的表現，所以，蜀漢劉後主雖不英明，他在位時，宦官近侍，卻始終不致為非作歹，因此，顧亭林說，「周公所以為後世慮，至深遠也」。

但是，到了後世，《周禮》之意，不復實行，而一般君主，也以為宮中之事，乃是皇族家事，外臣不宜過問，大臣震於帝王的威嚴，也遂不敢多問宮中之事，以致後代歷朝，宦官擅權之事，層出不窮，危害國家，其例不在少數。

顧亭林身當晚明清初之際，奄人宦官，專權擅政，如魏忠賢、劉瑾等人，設為東廠西廠，殘害大臣，毒害國家，以至明室覆亡，殷鑑不遠，亭林先生在《日知錄》此條之中，申論杜絕防止宦官為患之道，自然也是針對眼前的現實情況，心中有感而發。

## (五) 用兵當符正義

《周易・師卦》云：

䷆師，貞，丈人吉，无咎。[19]

〈師卦〉的〈彖傳〉云：「師，眾也，貞，正也，能以眾正，可以王矣，剛中而應，行險而順，以此毒天下，而民從之，吉又何咎。」〈象傳〉云：「地中有水，師，君子以容民畜眾。」師卦，下坎上坤，坎為水，坤為地，地中有水，為容眾聚民之象。〈師卦〉又云：

初六，師出以律，否臧凶。

---

18 黃汝成：《日知錄集釋》卷五，（上海，上海古籍出版社，二〇〇六年），頁二七二。

19 孔穎達：《周易注疏》卷一，（臺北，藝文印書館，一九九三年），頁三十五。

朱熹《周易本義》云：「律，法也。」指行軍出征，應當以律法綱紀部眾。

顧亭林《日知錄》卷一〈師出以律〉條云：

以湯、武之仁義為心，以桓、文之節制為用，斯之謂律。律即卦辭之所謂「貞」也。《論語》言「子之所慎者戰」，長勺以詐而敗齊，泓以不禽二毛而敗於楚，《春秋》皆不予之。故「先為不可勝，以待敵之可勝，雖三王之兵，未有易此者也。」20

亭林先生並不贊同朱熹釋「律」為「法」的解釋，他認為「律」的意義，與〈師卦〉卦辭中「師貞，丈人，吉、无咎」之「貞」，意義相同，而彖傳中「貞，正也」的解釋，也較為正確，他認為，「師出以律」，引軍出戰者，應該「以湯、武之仁義為心，以桓、文之節制為用」，因此，戰爭的目的，應該是，捍衛正義，保護國家，才是英勇的行動，反之，窮兵黷武，妄肆侵略，都是應該加以譴責的行為，因此，「軍以正興，兵以義動」，才是正當的律則，在此條解說中，亭林先生已經將用兵的「師出以律」，從戰術的層次，提高到戰略的層面，從節制軍隊紀律的技術層次，提升到「為何而戰」，戰爭目標的精神層面。

由於亭林先生解釋「師出以律」，主張對於戰爭行為有更加高尚的期許，因此，他對於春秋時代，魯莊公十年，齊魯戰於長勺，魯國用曹劌之謀而取得勝利，以及魯僖公二十二年，宋楚戰於泓水，宋襄公因「不鼓不成列，不禽二毛」而致失敗，《春秋》都不特別予以稱許，主要由於亭林先生以為，戰爭殘酷，只有目的正當，目標符合正義，像商湯討伐夏桀，周武王討伐商紂，弔民伐罪，以至仁伐至不仁，救民於水深火熱之中，才是符合正義的戰爭。又像齊桓公的尊王攘夷，晉文公的拒斥外夷楚國的入寇，才是符合正義的原則，才是真正值得稱譽的「師出以律」[20]。

《孫子兵法・始計篇》說：「兵者，國之大事，死生之地，存亡之道，不可不察也。」[21]這也是亭林先生處身在清人入關，明室覆亡之際，對於侵略戰爭殘酷的痛恨，對於保家衛國的必要，感受深刻，從而也影響到他對軍事戰伐的見解。

## (六) 人貴修己自省

《周易・復卦》云：

20 黃汝成：《日知錄集釋》卷一，（上海，上海古籍出版社，二〇〇六年），頁十五。
21 孫武：《孫子兵法》，（香港，太平書局，一九六六年），頁一。

䷗，復，亨，出入无疾，朋來无咎，反復其道，七日來復，利有攸往。[22]

〈復卦〉的〈彖傳〉云：「復，亨，剛反，動而以順行，是以出入无疾，朋來无咎，反復其道，七日來復，天行也。利有攸往，剛長也，復其見天地之心乎！」〈象傳〉云：「雷在地中，復。」復卦，下震上坤，震為雷，坤為地，雷動於地下，一陽動於五陰之下，象徵陰氣凝結已極，陽氣開始回復，故得以亨通無所咎責，而歷經七日，可返於正道。

〈復卦〉又云：

初九，不遠復，无祇悔，元吉。〈象曰〉：「不遠之復，以修身也。」[23]

顧亭林《日知錄》卷一〈不遠復〉條云：

《復》之「初九」，動之初也。自此以前，喜怒哀樂之未發也。至一陽之生而動矣，故曰「復」，其見天地之心乎？顏子體此，故「有不善，未嘗不知，知之，未嘗復行」，此慎獨之學也。回之為人也，「擇乎中庸」；夫亦擇之於斯而已，是以「不遷怒，不貳過」。

其在凡人，則《復》之「初九」，日夜之所息，平旦之氣，其好惡與人相近也者幾希。苟其知之，則擴而充之矣。故曰「復小而辨於物」。[24]

亭林先生在《日知錄》此條之中，首先引用〈中庸〉、〈大學〉以及顏回修己之學，以與〈復卦〉初九一爻之義，相互印證，程頤《易傳》解釋〈復卦〉初九一爻云：「一陽復於下，乃天地生物之心也，先儒皆以靜為見天地之心，蓋不知動之端，乃天地之心也。」[25]伊川以為，〈復卦〉初九一爻，始動於五陰之下，為天地萬物復甦之現象，而亭林先生，則將〈復卦〉初九一爻，依〈象傳〉之說，引歸人生道德之修養，他以為，〈復卦〉未動之前，正如《禮記·中庸》所謂的「喜怒哀樂之未發，謂之中」[26]，人們皆有喜怒哀樂之情，當其情尚未顯發，尚未產生偏倚之處時，則謂之為「中」，而〈復卦〉初九，一陽始動於五陰之下，則似〈中庸〉所謂「發而皆中節，謂之和」，人之感情，當其發出，而皆能切乎人情之

22 孔穎達：《周易注疏》卷三，（臺北，藝文印書館，一九九三年），頁六十四。
23 孔穎達：《周易注疏》卷三，（臺北，藝文印書館，一九九三年），頁六十五。
24 黃汝成：《日知錄集釋》卷一，（上海，上海古籍出版社，二〇〇六年），頁二十。
25 程頤：《易傳》卷二，（臺北，河洛圖書出版社，一九七四年），頁二一一。
26 孔穎達：《禮記注疏》卷五十二，（臺北，藝文印書館，一九九三年），頁八七九。

正，則謂之為「和」，由「中」至「和」，也正如〈復卦〉初九一陽初動之際，顏回深深能夠體會此理，用以自修己身，故能「有不善，未嘗不知，知之，未嘗復行」（見《易・繫辭下傳》），所以，顏回能夠實踐「慎獨」之學，（〈大學〉、〈中庸〉皆曾論及慎獨之義）能夠「擇乎中庸」之道，所以才能實踐「不遷怒，不貳過」（《論語・雍也》）的道德修養。

顏回被後世稱為復聖，又得到孔子為師，善加引導，故能聞一知十，自省自知，復於善道。至於一般平凡之人，亭林先生則以孟子所謂「平旦之氣」，而與〈復卦〉初九一爻相印證，《孟子・告子上》云：「雖存乎人者，豈無仁義之心哉！其所以放其良心者，亦猶斧斤之於木也，旦旦而伐之，可以為美乎？其日夜之所息，平旦之氣，其好惡與人相近也者幾希，則其旦晝之所為，有梏亡之矣。」朱熹《孟子集注》云：「平旦之氣，謂未與物接之時，清明之氣也。」[27]凡人之情，往往於喜怒哀樂之際，不能合於中和的境地，只有在靜夜初醒，清晨平旦之時，往往清明在躬，最易回復其感情的「中和」境界，因此，人們如能於平旦之時，自省己過，恢復心中本具的善端，進德修業，則正是〈復卦〉初九一爻的精神所在，故亭林先生對於一般常人，也特別以此多加激勵。

## (七) 公私宜加分別

《詩・小雅・大田》云：

有渰萋萋，興雨祁祁，雨我公田，遂及我私。[28]

〈大田〉之詩，共四章，多言農家耕作之情況，其中第三章前四句，言天降春雨，雨水既降於公田之中，也同時降落在私田之內。因周代實行井田制度，農夫共耕公田一畝，自耕私田八畝，故詩中有此言語。又《詩・豳風・七月》云：

四月秀葽，五月鳴蜩，八月其穫，十月隕蘀，一之日于貉，取彼狐狸，為公子裘，二之日其同，載纘武功，言私其豵，獻豜于公。[29]

〈七月〉之詩，共八章，全詩記述農家生活的情況，此第四章，言冬季到來，獵取狐皮，以

27 朱熹：《孟子集注》卷六，（臺北，學海出版社，一九八四年），頁三六〇。
28 孔穎達：《毛詩注疏》卷十四，（臺北，藝文印書館，一九九三年），頁四七二。
29 孔穎達：《毛詩注疏》卷八，（臺北，藝文印書館，一九九三年），頁二七六。

為公子作皮裘，及至臘月降臨，教民田獵，講習武事，捕得小獸，留作民食，捕得大獸，則獻於國君。

顧亭林《日知錄》卷三〈言私其豵〉條云：

> 「雨我公田，遂及我私」，先公而後私也。「言私其豵，獻豜於公」，先私而後公也。自天下為家，各親其親，各子其子，而人之有私，固情之所不能免矣，故先王弗為之禁。非惟弗禁，且從而恤之。建國親侯，胙土命氏，畫井分田，合天下之私以成天下之公，此所以為王政也。至於當官之訓，則曰以公滅私，然而祿足以代其耕，田足以供其祭，使之無將母之嗟，室人之謫，又所以恤其私也。此義不明久矣。世之君子必曰「有公而無私」，此後代之美言，非先王之至訓矣。[30]

針對人們生活在社會上，面對公私之際，應該如何抉擇的問題，亭林先生將人們區分為兩類，一類是廣大的庶民農夫，一類是出任公職的官員。他先論庶民的情況，再論仕宦的官箴。

亭林先生以為，凡人都有七情六欲，利己之心，多不能免，「有公而無私」的情形，並不能求之於人人，《詩經·大田》中所謂的「雨我公田，遂及我私」，似乎是「先公後私」，主要是井田制度的規定行為，至於《詩經・七月》中所謂的「言私其豵，獻豜于公」，似乎是「先私後公」，主要也是古代教民田獵講武時的一種行為規範。因此，「人之有私，固情之所不能免矣，故先王弗為之禁」，並且，還「從而恤之」，以滿足庶民正常的「小私」，以達到安定庶民生活的目的。

至於一般出仕在官之人，亭林先生則以為，他們既已擁有公職，在各級政府工作，自然應當「以公滅私」，奉公守法，不營私利，以妨礙公務，但對於服務公職之人，亭林先生也提出，政府必需給予「祿足以代耕，田足以供其祭」，使之能夠「無將母之嗟，室人之謫」，使在公職者，生活不虞匱乏，免於凍餒其父母，饑餓其妻子兒女，薪俸足以養廉，才能使官員們專心公務，心無旁騖，不生非份之想，不貪圖私利。

因此，亭林先生分別就一般庶民與服有官職者，提出兩種面臨公私之際，何者優先的辦法，確實屬於是比較貼近人情的見解。

## (八) 為政富民為本

《尚書・益稷》云：

30 黃汝成：《日知錄集釋》卷三，（上海，上海古籍出版社，二〇〇六年），頁一四八。

帝曰：「來，禹，汝亦昌言。」禹拜曰：「都！帝，予何言？予思日孜孜。」皋陶曰：「吁！如何？」禹曰：「洪水滔天，浩浩懷山襄陵，下民昏墊。予乘四載，隨山刊木，暨益奏庶鮮食。予決九川距四海，濬畎澮距川。暨稷播，奏庶艱食鮮食。懋遷有無，化居。烝民乃粒，萬邦作乂。」皋陶曰：「俞！師汝昌言。」[31]

〈益稷〉篇，屬於古文《尚書》，記述禹與伯益及后稷二人治理洪水，教導民眾捕食鳥獸，教導民眾播種百穀，使百姓能均平貨物，互通有無，使得天下百姓，生活安定，而不致匱乏之事。今文《尚書》以此篇合上篇〈皋陶謨〉為一篇，總名為〈皋陶謨〉。

顧亭林《日知錄》卷二〈懋遷有無化居〉條云：

「懋遷有無，化居」。化者，貨也。運而不積則謂之化，留而不散則謂之貨。唐虞之世，曰化而已。至殷人始以貨名。《仲虺》有「不殖貨利」之言，「三風」有「殉於貨色」之儆，而《盤庚》之誥則曰「不肩好貨」，於是移「化」之字為化生化成之「化」，而厚斂之君、發財之主，多不化之物矣。

又云：

舜作《南風》之歌，所謂勸之以「九歌」者也。讀之然後知「解吾民之慍」者，必在乎「阜吾民之財」。而自阜其財，乃以來天下之慍。[32]

亭林先生以為，〈益稷〉篇中的化字，是貨字之義，因此說，「化者，貨也」，以為「古化、貨二字多通用」（見《日知錄》原注），在「唐虞之世，曰化而已，至殷人始以貨名」，因此，化與貨二字，為古今字，唐虞時代，只用「化」字，殷商以後，才用「貨」字。

亭林先生，先引述《尚書·虞夏書》中〈益稷〉篇的「懋遷有無化居」，以說明為政當流通貨物，以應有無，才能造福民眾。亭林先生又引述《尚書·商書》中〈仲虺之誥〉的商湯大臣仲虺，稱讚商湯「惟王不邇聲色，不殖貨利」[33]，能夠深自約束，不接近聲色犬馬與貪求財利的行為。又引述《尚書·商書》的〈伊訓〉篇所記，商湯去世之後，太甲繼立為君，大臣伊尹敘說商湯之言，作為對太甲的教導，商湯曾說：「敢有恆舞于宮，酣歌于室，

31 孔穎達：《尚書注疏》卷五，（臺北，藝文印書館，一九九三年），頁六十六。

32 黃汝成：《日知錄集釋》卷二，（上海，上海古籍出版社，二〇〇六年），頁六十七。

33 孔穎達：《尚書注疏》卷八，（臺北，藝文印書館，一九九三年），頁一一〇。

時謂巫風。敢有殉于貨色，恆于游畋，時謂淫風。敢有侮聖言，逆忠直，遠耆德，比頑童，時謂亂風。惟茲三風十愆，（十衍，指舞、歌、貨、色、游、畋、侮、逆、遠、比。）卿士有一于身，家必喪，邦君有一于身，國必亡。臣下不匡，其刑墨，具訓于蒙士。」[34]商湯教訓子孫大臣，也提出了「殉于貨色」等等告誡。又引述《尚書・商書》中的〈盤庚〉所記，商君盤庚自奄地遷都到安陽，勉勵群臣，提出「朕不好肩貨，敢恭生生。鞠人謀人之保居，敘敬。」[35]用以勉勵大臣，照顧百姓，切勿聚斂財寶，這些都在說明君主用人，應任用那些關切百姓生活安樂的大臣，而絕不任用貪財好貨之徒。

亭林先生引述《尚書》，說明唐虞之世，習用「化」字，殷代以後，習用「貨」字，而殷商以後，「化」字之義，逐漸轉為變化之用，而政治上的賢君漸少，昏君漸多，所以，「厚斂之君，發財之主」，越來越多，也罔顧貨物流通對於人民生活的重要性，而百姓們的生活，也就越來越痛苦了。

在《日知錄》此條的第二節中，亭林先生提出了「南風之歌」以及「九歌」的情形，《禮記・樂記》云：「昔者舜作五弦之琴以歌〈南風〉。」鄭玄注云：「〈南風〉，長養之風也，以言父母之長養己，其辭未聞。」孔穎達《禮記正義》云：「案《聖證論》引《尸子》及《家語》難鄭云：『昔者舜彈五弦之琴，其辭曰：南風之薰兮，可以解吾民之慍兮，南風之時兮，可以阜吾民之財兮。』」[36]又《左傳》文公七年記載晉國郤缺之言云：「《夏書》曰：『戒之用休，董之用威，勸之以〈九歌〉，勿使壞。』九功之德，皆可歌也，謂之九歌。六府、三事，謂之九功。水、火、金、木、土、穀，謂之六府，正德、利用、厚生，謂之三事」[37]是六府、三事，謂之為九功，九功之德，都是關係於人民生活日用必需的事務，政府對九功之事，努力推動，能夠造福民眾，使百姓生活不虞匱乏，人人能夠獲得溫飽，則人民感激在心，口中所歌唱的，自然是〈南風〉中「阜吾民之財兮」的歌詞，反之，如果百姓無法獲得基本生活的保障，甚至陷入饑餓痛苦的地步，則民心積怨，口中所歌唱的，必然是憤懣之詞，〈南風〉中的「吾民之慍」，也就難以解除了。

孔子曾說：「百姓足，君孰與不足？百姓不足，君孰與足？」[38]《大學》上也說：「財聚則民散，財散則民聚。」[39]在上位者，自君主以至各級官員，如果其人一心只想設法去搜刮聚斂錢財，又怎能獲得百姓的信任與尊敬呢？因此，亭林先生藉著《尚書·益稷》之文，

34 孔穎達：《尚書注疏》卷八，（臺北，藝文印書館，一九九三年），頁一一三。
35 孔穎達：《尚書注疏》卷八，（臺北，藝文印書館，一九九三年），頁一三四。
36 孔穎達：《禮記注疏》卷三十八，（臺北，藝文印書館，一九九三年），頁六七七。
37 孔穎達：《左傳注疏》卷十九，（臺北，藝文印書館，一九九三年），頁三一九。
38 朱熹：《論語集注》卷六，（臺北，學海出版社，一九八四年），頁一三五。
39 朱熹：《大學章句》，（臺北，學海出版社，一九八四年），頁十四。

抒發為政之道，應以富庶百姓生活，為其根本精神。

## (九) 治國鑑往知來

《論語・為政》云：

子張問十世，可知也？子曰：「殷因於夏禮，所損益，可知也。周因於殷禮，所損益，可知也。其或繼周者，雖百世可知也。」

朱熹《論語集注》云：

三綱五常，禮之大體，三代相因，皆因之而不能變。其所損益，不過文章制度，小過不及之間。40

子張向孔子請問的，主要是世事未來的發展，孔子所回答的，卻是由古代可以推知後代，鑑往可以知來，孔子的回答，主要是落在典章制度與道德倫常方面。

顧亭林《日知錄集釋》卷七〈子張問十世〉條云：

《記》曰：「聖人南面而治天下，必自人道始矣。立權度量，考文章，改正朔，易服色，殊徽號，異器械，別衣服，此其所得與民變革者也。其不可得變革者則有矣，親親也，尊尊也，長長也，男女有別，此其不可得與民變革者也。」自春秋之并為七國，七國之并為秦，而大變先王之禮。然其所以辨上下，別親疏，決嫌疑，定是非，則固未嘗有異乎三王也。故曰：「其或繼周者，雖百世可知也。」自古帝王相傳之統，至秦而大變。然而秦之所以亡，漢之所以興，則亦不待讖緯而識之矣。「不仁而得天下，未之有也」，此百世可知者也。「保民而王，莫之能禦也」，此百世可知者也。[41]

亭林先生在本條中指出，君王治理天下，所謂「立權度量，考文章，改正朔，易服色，殊徽號，異器械，別衣服」，都是屬於典章制度方面的儀節，這些儀節，可以因時間的轉易而加以變革，但是，所謂「親親也，尊尊也，長長也，男女有別」，都是屬於道德倫常方面的精神，卻不可以隨時間的轉易而加以變更，因此，子張所問，雖然並未專指那一方面的問題，

40 朱熹：《論語集注》卷一，（臺北，學海出版社，一九八四年），頁六十六。

41 黃汝成：《日知錄集釋》卷七，（上海，上海古籍出版社，二〇〇六年），頁三九三。

但是，孔子回答，所側重的，卻是人生社會不可改易的道德倫常，所以才肯定地說那是「雖百世可知」的情形。

亭林先生又指出，傳統的道德倫常，典章制度，到秦始皇統一天下之後，卻大遭改變，只是，追究秦之所以滅亡，漢之所以振興，其原因，卻在暴秦以不仁而得天下，也以不仁而迅速地亡天下，從而推論為政治民，「仁」與「不仁」，才是真正興衰的根本原因，這種情形，也是「雖百世可知」的道理，並以此勗勉及警惕後世之為政者。

## 三、結　語

經為常道，經義所論，本來就不離於人倫日用之間，西漢時代，君王提倡經學致用，大臣言事，也往往援引經義，以作判斷。

《漢書・平當傳》記載：「每有災異，當輒傅經術，言得失。」又記載：「當以經明〈禹貢〉，使行河，為騎都尉，領河隄。」[42]這是以〈禹貢〉治黃河的例子。

《漢書・夏侯勝傳》記載，勝習《尚書》，說災異，漢昭帝崩後，昌邑王嗣立，大將軍霍光與車騎將軍張安世共謀欲廢昌邑王，慮涉謀，問於夏侯勝，勝對言，引〈洪範五行傳〉「皇之不極，厥罰常陰，時則下人有伐上者」回答，斷以為「臣下有謀」[43]，霍光與劉安世大驚，後十餘日，二人上奏太后，廢昌邑王，尊立宣帝，由此益重經術之士。這是以〈洪範〉察變的例子。

《漢書・雋不疑傳》記載，武帝末年，宦官江充埋蠱於宮中，密報武帝，誣告太子，太子與皇后密謀斬充，兵敗，皇后自殺，太子出亡，傳也自殺。昭帝元始五年，有一男子乘黃犢車，詣北闕，自稱太子，長安城中圍觀者數萬人，文武大臣至者，莫敢發言，京兆尹雋不疑後至，令從吏收縛此人，有人以為，是非尚未可知，應暫時觀察，雋不疑引《春秋》所說衛靈公世子蒯聵，出亡晉國，靈公卒後，使蒯聵之子蒯輒嗣位，後蒯聵欲入衛，蒯輒加以拒絕，《公羊傳》以為，蒯輒聽從祖父之令，而不從父親之令，其事甚當。由此判斷，即使武帝太子前來，也是身為罪人，因而送交獄中。[44]這是以《春秋》斷事的例子。

《漢書・儒林傳》記載，王式為昌平王師，昭帝崩，昌邑王嗣立，以行淫亂，被廢，昌邑王羣臣皆下獄，官吏責問王式，既為帝師，何以無諫諍之書，王式回答：「臣以《詩》三百五篇朝夕授王，至於忠臣孝子之篇，未嘗不為王反覆誦之也，至於危亡失道之君，未嘗不

---

42 班固：《漢書》卷七十一，（臺北，鼎文書局，一九九一年），頁三〇五〇。

43 班固：《漢書》卷七十五，（臺北，鼎文書局，一九九一年），頁三一五五。

44 班固：《漢書》卷七十五，（臺北，鼎文書局，一九九一年），頁三〇三五。

流涕為王深陳之也。臣以三百五篇諫，是以亡諫書。」[45]這是以三百五篇《詩經》作為諫書的例子。

魏晉時代，玄學盛行，經學著述，也多漸染了玄理之風。唐代經學，專尚注疏之作。宋元時期，崇尚理學，明代心學尤盛，及至晚明，狂禪大行，經學研究，也受其影響，亭林先生有感於此，因而倡導徵實致用之學，加以挽救。

此文前節之中，筆者從《日知錄》中枚舉了九個例子，對於亭林先生「通經致用」的為學精神，只能算是嘗鼎一臠，未能見到全豹。但是，即此九例，也許可以窺見亭林先生研究經學的精神，至少擁有以下兩項特點：

其一，緊扣時代脈息，用為鑒戒。

其二，引歸修齊治平，國計民生。

亭林先生的經學，有徵實的一面，也有致用的一面，但是，經學在清代的發展，由於滿廷網禁的嚴苛，卻僅僅走上徵實而考證的途徑，至於經世致用的方面，則遭受到嚴重的扼殺。

經學的研究，可以有多種不同的方法，每一種研究方法，都有其本身的價值，拙稿的撰寫，只是意在指出，顧亭林先生「通經致用」的研究態度，具有特殊意義的為學精神，值得經學愛好的同仁們去留意去了解。

45 班固：《漢書》卷八十八，（臺北，鼎文書局，一九九一年），頁三六一〇。

國家圖書館出版品預行編目資料

經學研究三集

胡楚生著. – 初版. – 臺北市：臺灣學生，2019.01
面；公分

ISBN 978-957-15-1785-8 (平裝)

1. 經學 2. 文集

090.7 107020467

經學研究三集

著 作 者 胡楚生
出 版 者 臺灣學生書局有限公司
發 行 人 楊雲龍
發 行 所 臺灣學生書局有限公司
地 址 臺北市和平東路一段 75 巷 11 號
劃撥帳號 00024668
電 話 (02)23928185
傳 眞 (02)23928105
E-mail student.book@msa.hinet.net
網 址 www.studentbook.com.tw
登記證字號 行政院新聞局局版北市業字第玖捌壹號
定 價 新臺幣三八〇元
出版日期 二〇一九年一月初版
ISBN 978-957-15-1785-8

09025 